21강 문자 보내기

- 말로 문자 보내기, 음성으로 문자 보내기, 카카오톡 음성 메시지 보내기

22강 카메라 설정법

23강 갤러리에서 사진 및 동영상 폴더 만들고 관리하기

24강 갤러리 휴지통 기능, 즐겨찾기

25강 지메일 계정 설정하기

26강 구글 플레이스토어 활용하기 - 환불받는 법

27강 구글 어시스턴트

28강 카카오톡 기본

29강 광고 없이 유튜브 보기

30강 음악다운받기 - 음악다운

Contents

책을 내면서...

대한민국 국민 5,182만 명!
스마트폰 개통대수 7,600만 대!

이번에 출간하는 책은 13년 동안 뉴미디어 마케팅 교육(스마트폰, SNS마케팅 등)을 해오고 있는 SNS소통연구소에서 시니어 실버분들의 즐거운 인생을 위해 시니어 실버가 보기 편하게 제작한 책입니다.

책 크기도 A4 크기이고 글자 크기도 12포인트로 제작해 시니어 실버분들이 책을 보는 데 있어 매우 편하게 되어 있습니다.

SNS소통연구소는 13년 동안 시니어 실버들에게 스마트폰 활용 교육을 하면서 꼭 필요한 스마트폰 활용 기능이 무엇인지 누구보다도 잘 알고 있습니다.

따라서 SNS소통연구소에서 발행한 이 책은 스마트폰 활용을 잘 못하시는 시니어 실버분들에게 훌륭한 스마트폰 기본 활용의 지침서가 될 것입니다.

스마트폰 기초 편, 중급 편, 고급 편 3종의 시리즈로 제작되어 있는 이 책은 수준별로 선택해서 보실 수 있습니다.

스마트폰 기초 편에서는 스마트폰 기본 활용, 카메라 활용, 인공지능 서비스, 유튜브 활용, 키오스크 및 줌(ZOOM) 활용 등에 대한 설명이고 스마트폰 중급 편에서는 이미지 합성 앱 활용하기, 카드뉴스 만들기, 인공지능 카메라 필터 및 보정 앱 활용하기, UCC 영상 편집 등을 담아내고 있으며 스마트폰 고급 편에서는 스마트폰 요금제 및 보험 선택하는 법, 번역 및 여행 앱 활용하기, 쇼핑몰 활용하기, 결제 서비스 활용하기, 교통 앱 활용하기, 스마트워크 앱 활용하기에 대해서 다루고 있습니다.

전국에서 스마트폰 활용 교육을 하고 계시는 스마트폰 강사님들도 이 책을 스마트폰 활용 교육 시 교재로 사용하시면 강사님과 수강생 분들에게 많은 도움이 되실 거라 자부합니다.

SNS소통연구소는 2010년도부터 스마트폰 활용 교육을 전문적으로 해오고 있습니다. 스마트폰 교육 전문가를 양성하기 위해서 국내 최초로 스마트폰 강사 자격증인 [스마트폰 활용지도사] 교육을 통해 현재까지 2,500명 이상 되는 분들을 양성했습니다.

자격을 취득하고 훈련을 통해 전문가로 거듭난 [스마트폰 활용지도사] 선생님들은 전국 각 기관 및 단체에서 왕성히 활동을 하고 있습니다.

이번 책 구성도 전국에서 강의를 하는 스마트폰 활용지도사 선생님들의 교육 커리큘럼을 참고해서 탄생하게 된 것입니다.

필요로 하는 전부를 담아내지는 못하지만 그래도 이번 책을 통해 스마트폰 활용 교육 강사님들이나 수강생들 모두에게 도움이 되었으면 좋겠습니다.

SNS소통연구소가 항상 강조하고 있는 "스마트폰 제대로 배우고 익히면 인생이 즐거워지고 비즈니스가 풍요로워집니다!"를 대한민국 국민 모두가 공감하고 제대로 스마트폰 활용을 하셨으면 하는 바람이 간절합니다.

스마트폰 활용지도사
SmartPhone Utilizing Instructor

자 격 명 : 스마트폰 활용지도사
인 증 번 호 : 제 2014-4976호
성 명 : 이 종 구
자격관리자 : (주)다이비즈

본 국가민간자격증은 「국가 민간 자격 기본법」 제 17조에 따라 미래창조과학부장관이 승인하고 한국 직업능력 개발원장이 발행합니다.

제 2014-4976호

민간자격등록증

1.등록자격관리자 : 주)다이비즈
2.사업자등록번호 : 201-86-33544
3.대표자
성명 : 이종구 생년월일 : 1971-04-20
4.자격의 종목 및 등급 : 스마트폰 활용지도사 1급,2급
5.자격의 검정기준·검정과목·검정방법·응시자격 또는 교육훈련 과정의 교과목·교육기간·이수기준·평가기준·평가방법에 관한 사항 : (민간자격 등록신청시 제출한 「민간자격의 관리 운영에 관한 규정」에 따름)
6.등록에 따른 이행 조건 :
가.등록한 자격과 관련하여 광고하는 경우 자격의 종류와 등록번호, 해당 민간자격관리기관, 그 밖에 소비자 보호를 위해서 대통령령으로 정하는 사항 등을 반드시 표시하여야 함
나.등록한 자격에 대하여 허위 또는 과장 광고하는 등의 행위는 관련법령에 의거 처벌받을 수 있음

「자격기본법」 제17조 2항과 같은 법 시행령 제23조 제4항 및 제23조의 제 2항에 따라 위와 같이 민간자격에 대하여 등록하였음을 증명합니다.

2014년 10월 22일

한국직업능력개발원장

★ 스마트폰 활용지도사 자격증에 대해서 아시나요?

(과학기술정보통신부가 검증하고 한국직업능력개발원이 관리하는 스마트폰 자격증 취득에 관심 있으신 분들은 살펴보세요)

★ 상담 문의 이종구 010-9967-16654
E-mail : snsforyou@gmail.com
카톡 ID : snsforyou

★ 스마트폰 활용지도사 1급

- 해당 등급의 직무내용

초/중/고/대학생 및 성인 남녀노소 누구에게나 스마트폰 활용 교육 및 SNS 기본 교육을 실시할 수 있습니다.
개인 및 소기업이 브랜딩 전략을 구축하는 데 있어 저렴한 비용을 들여 브랜딩 및 모바일 마케팅 전략을 구축할 수 있도록 필요한 교육을 할 수 있습니다.

★ 스마트폰 활용지도사 2급

- 해당 등급의 직무내용

시니어 실버분들에게 스마트는 활용교육을 실시 할 수 있습니다. 개인 및 소기업이 모바일 마케팅 전략을 구축하는데 있어 기본적인 교육을 할 수 있습니다. 1인 기업 및 소기업이 스마트워크 시스템을 구축하는데 제반 사항을 교육할 수 있습니다.

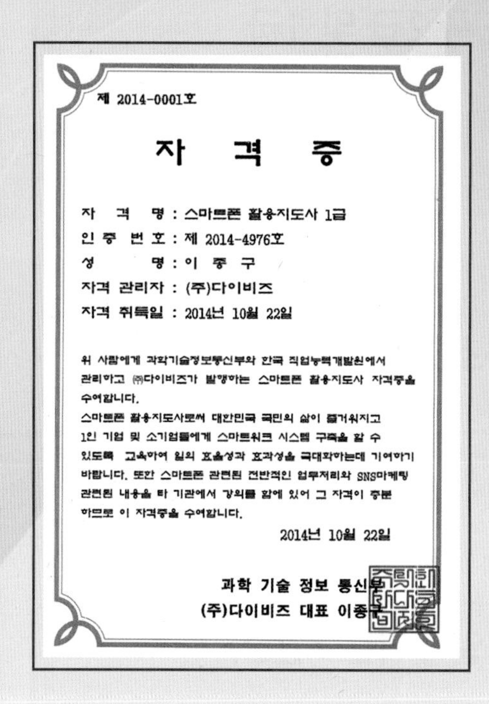
제 2014-0001호

자 격 증

자 격 명 : 스마트폰 활용지도사 1급
인 증 번 호 : 제 2014-4976호
성 명 : 이 종 구
자격 관리자 : (주)다이비즈
자격 취득일 : 2014년 10월 22일

위 사람에게 과학기술정보통신부와 한국 직업능력개발원에서 관리하고 ㈜다이비즈가 발행하는 스마트폰 활용지도사 자격증을 수여합니다.
스마트폰 활용지도사로써 대한민국 국민의 삶이 즐거워지고 1인 기업 및 소기업들에게 스마트워크 시스템 구축을 할 수 있도록 교육하여 일의 효율성과 효과성을 극대화하는데 기여하기 바랍니다. 또한 스마트폰 관련된 전반적인 업무처리와 SNS마케팅 관련된 내용을 타 기관에서 강의를 함에 있어 그 자격이 충분하므로 이 자격증을 수여합니다.

2014년 10월 22일

과학 기술 정보 통신부
(주)다이비즈 대표 이종구

★ 시험 일시 : 매월 둘째주, 넷째주 일요일 5시부터 6시까지 1시간
★ 시험 과목 : 2급 - 스마트폰 활용 분야 / 1급 - 스마트폰 SNS마케팅
★ 합격점수 : 1급 - 80점 이상(총 50문제 각 2점씩 100점 만점에 80점 이상 주관식 10문제 포함)
2급 - 80점 이상(총 50문제 각 2점씩 100점 만점에 80점 이상)

★ 시험대비 공부방법

1. 스마트폰 활용지도사 2급 교재 구입 후 공부하기
2. 정규수업 참여해서 공부하기
3. 유튜브에서 [스마트폰 활용지도사] 채널 검색 후 관련 영상 시청하기

★ 시험대비 교육일정

1. 매월 정규 교육을 SNS소통연구소 전국지부에서 실시하고 있습니다.
2. 스마트폰 활용지도사 SNS소통연구소 블로그 (blog.naver.com/\urisesang71) 참고하기
3. 소통대학교 사이트 참조(www.snawork.com)
4. NAVER 검색창에 (SNS 소통연구소)라고 검색하세요!

★ 시험 응시료 : 3만원
★ 자격증 발급비 : 7만원

1. 일반 플라스틱 자격증,
2. 종이 자격증 및 우단 케이스 제공.
3. 스마트폰 활용지도사 강의자료 제공비 포함.

★ 스마트폰 활용지도사 자격증 취득시 혜택

1. SNS 상생평생교육원 스마트폰 활용 교육 강사 위촉
2. SNS소통연구소 스마트폰 활용 교육 강사 위촉
3. 스마트 소통 봉사단에서 교육받을 수 있는 자격부여
4. SNS 및 스마트폰 관련 자료 공유
5. 매월 1회 세미나 참여 (정보공유가 목적)
6, 향후 일정 수준이 도달하면 기업제 및 단체 출강 가능
7. 그외 다양한 혜택 수여

유튜브 크리에이터 전문 지도사 시험

매월 1째,3째 일요일
오후 5시부터 6시까지

유튜브 크리에이터 전문 지도사가
즐거운 대한민국을 만들어갑니다!

- **자격명 : 유튜브 크리에이터 전문 지도사 2급 및 1급**
- **자격의 종류 : 등록(비공인) 민간자격**
- **등록번호 : 제 2020-003915 호**
- **자격 발급 기관 : 에스엔에스소통연구소**
- **총 비용 : 100,000원**
- **환불규정**
  ①접수마감 전까지 100% 환불 가능(시험일자 기준 7일전)
  ②검정 당일 취소 시 30% 공제 후 환불 가능
- **시험문의**
  SNS 소통연구소 이종구 소장 : 010-9967-6654

SNS소통연구소
자격증 교육 교재 리스트

스마트폰 활용 교육 전문가들을 위한 책
(스마트폰 활용지도사 2급 교재)

SNS마케팅 교육 전문가 양성 과정 책
(스마트폰 활용지도사 1급 교재)

1인 기업 및 소상공인들의
업무 효율 상승을 위한 책
(스마트폰 워크 전문지도사 2급 교재)

스마트한 강사를 위한 길라잡이
(컴퓨터 활용 전문지도사 2급 교재 교재)

고품격 시니어
실버들을 위한 사이트

snswork.com

소통대학교가 즐거운
대한민국을 만들어갑니다!

소통대학교 홈페이지에 회원가입하시면

스마트폰 기본 활용부터 고급 활용,

SNS마케팅의 핵심 노하우,

강사들이 꼭 알아야 할 내용들에 대해서

풍부한 자료들을 찾아보실 수 있습니다.!

Contents

Contents

01강 스마트폰 개요

❶ [스마트폰](SmartPhone)

1) 스마트폰이란? : 손안의 PC(모바일 PC)로 시간과 공간의 제약 없는 지능형 스마트폰은 휴대폰 기능은 물론 TV, 동영상 제작, 카메라, 팩스, 캠코더, MP3 기능까지 갖추고 있어 “다기능 지능형 복합 단말기”라고도 불립니다. 최근에는 AI 기능에 사물 인식 기능, 번역은 물론 다양한 앱을 통해서 비즈니스에도 상용되고 있습니다.

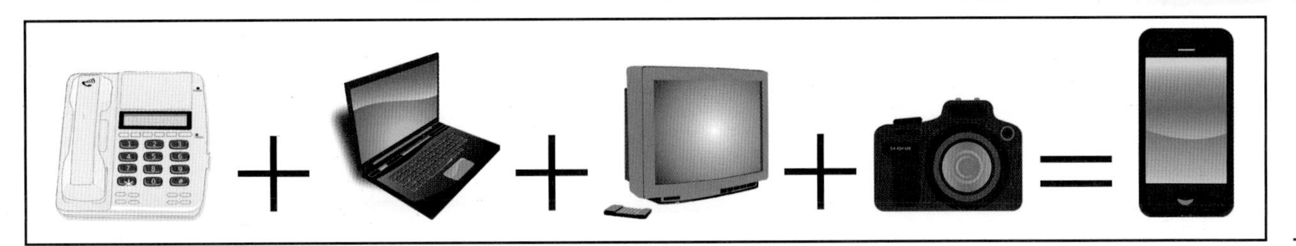

2) 컴퓨터[운영체제]와 비슷한 모바일[운영체제]가 설치되어 있으며, 다양한 프로그램 [애플리케이션]을 설치하여 사용할 수 있습니다.

※ [운영체제] : 컴퓨터의 하드웨어(기기)와 소프트웨어(프로그램)를 제어하여 사용자가 컴퓨터를 쓸 수 있게 만들어 주는 프로그램

※ [애플리케이션] : 앱 또는 어플이라고 말하기도 한다. 스마트폰이나 컴퓨터에서 특정한 기능을 사용할 수 있도록 만들어진 프로그램

3) 전화와 문자는 기본이고 음악, 카메라, 인터넷, 게임, 채팅, 사진, 영상, 메일, 날씨, 지도, 내비게이션, 일정표, 파일 공유 등 인공지능 음성 서비스까지 수많은 기능을 사용할 수 있습니다.

❷ [스마트폰]의 특징

1) 크기가 작아 휴대하기 편합니다.
2) 사용법이 간단합니다.
3) 언제 어디서나 인터넷을 연결할 수 있습니다.
4) 와이파이(Wi-Fi)를 사용하여 무료로 인터넷을 사용할 수 있습니다.
5) 생활에 편리한 프로그램이 많아서 유용합니다.
6) 각자 분야에 맞는 앱을 사용하여 일상의 활용도가 높습니다.
7) 다양한 앱을 설치하고 삭제하기가 쉽습니다.

8) 화면구성을 원하는 대로 설정할 수 있습니다.

9) 데이터 사용량이 제한된 용량을 초과할 경우 추가 비용을 부담해야 합니다.

10) 다양한 센서 기술(카메라, 가속도 센서, GPS, 조도 센서, 근접 센서 등 운영체제 및 앱을 쉽고 빠르게 업데이트할 수 있습니다.

02강 스마트폰 운영체제, 제조사, 통신사, 디바이스 정보 알아보기

1 스마트폰의 운영체제 종류

종류	개발사	사용	점유율 (2021년기준)
안드로이드(Android)	구글	삼성, LG	72.19%,
IOS	애플	아이폰과 아이패드	26.99%
윈도우 모바일 OS	MS(마이크로소프트)	MS의 윈도우폰	0.02%

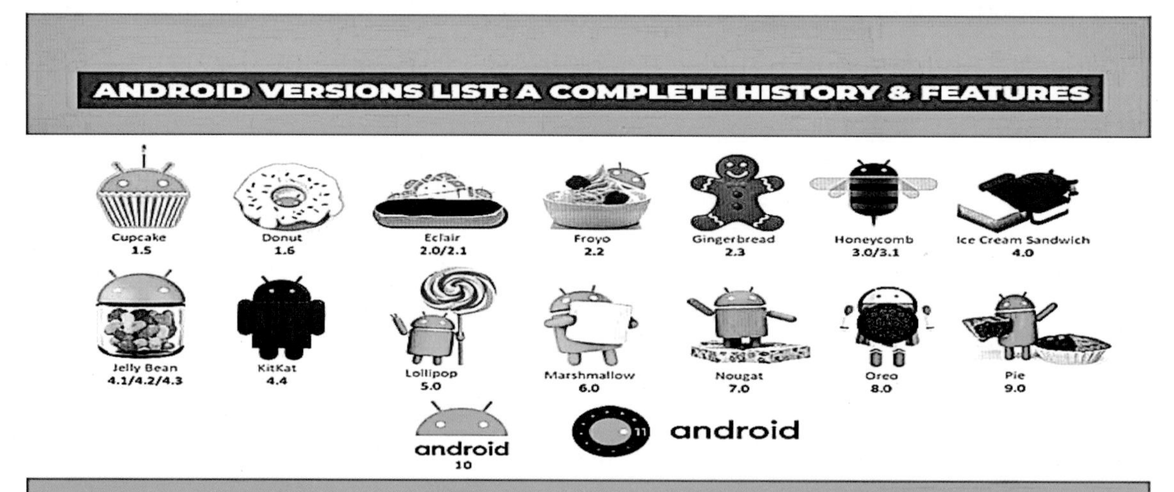

안드로이드 버전의 역사					
버 전 (Version)	코드네임 (codename)	릴리즈날짜	버 전 (Version)	코드네임 (codename)	릴리즈날짜
1.0	Android 1.0	2008년 9월	6.0	마시멜로	2015년 10월
1.5	컵케이크	2009년 4월	7.0	누가	2016년 8월
2.2	프레오	2010년 5월	8.0	오레오	2017년 10월
3.0	허니콤	2011년 2월	9.0	파이	2018년 8월
4.0	아이스크림 샌드위치	2011년 10월	10	퀸케이크	2019년 9월
4.4	킷캣	2013년 10월	11	레드 벨벳 케이크	2020년 9월
5.0	롤리팝	2014년 11월	12,12L	사브리나	2021년 10월

2 제조사와 통신사 알아보기

① 제조사 : 삼성, 애플, 샤오미, 화웨이 등(삼성전자 서비스:1588-3366)

② 통신사 : SKT(SK텔레콤), KT(올레), LG U+

3 본인 기기 알아보기

① 제조사 :   ② 통신사(요금제) :   ③ 디바이스(기기) 이름 :   ④ 모델번호 :

⑤ 시리얼번호 :   ⑥ IMEI :   ⑦ 안드로이드버전 :

4 디바이스 정보 – 모델명, 모델번호, IMEI 번호, 안드로이드 버전 찾아보기

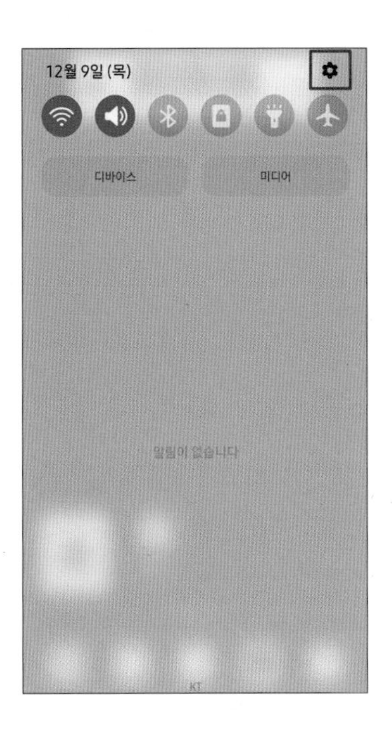

1 상단 알림바를 손가락으로 내려 [설정] 아이콘을 터치합니다.

2 아래로 드래그하여 [휴대전화 정보]를 터치합니다. 3 [모델명], [모델번호]를 확인합니다.

[IMEI] 번호는 고유 일련번호로 분실, 도난 단말기 조회, 알뜰폰 번호이동 가입 시 필요합니다. 분실 시 통신사 고객센터에서 IMEI 번호를 알려주고 본인 인증을 하면 위치 추적으로 스마트폰을 찾을 수 있습니다.

< 휴대전화 정보
IMEI 355374101337814
상태 정보
법률정보
규제 정보
소프트웨어 정보
배터리 정보
삼성전자 AS 문의/예약
1588-3366 / www.3366.co.kr
다른 기능을 찾고 있나요?
소프트웨어 업데이트
초기화

❶ [휴대전화 정보]의 [소프트웨어 정보]를 터치합니다.

❷ [One UI 버전]과 [안드로이드 버전]을 확인합니다. 최신 애플리케이션을 이용하고 편의성과 보안의 강화를 위해서는 업그레이드를 꼭 해야 합니다.

03강 스마트폰 화면 및 전원 켜고 끄기

❶ 화면 켜고 / 끄기

1) 화면 켜기 : [홈] 버튼 또는 [전원] 버튼을 짧게 터치합니다.

① 잠금 미설정 시 : 화면을 드래그합니다.

② 잠금 설정 시 : 잠금을 해제합니다.

③ 화면을 두 번 터치합니다.

2) 화면 끄기

① [전원]버튼을 길게 누릅니다.

② 화면을 두 번 터치합니다.

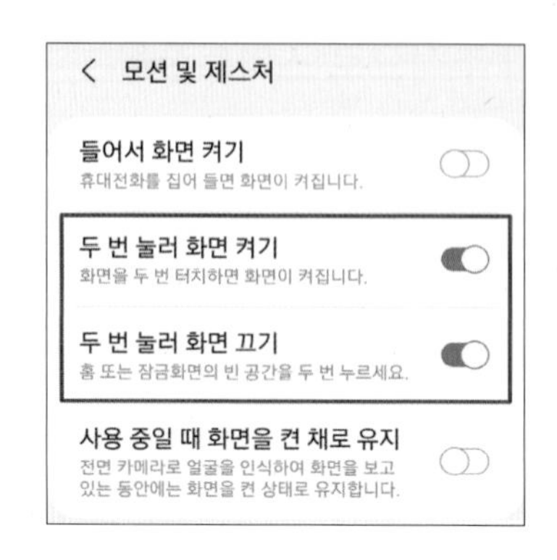

◈ 화면 두 번 터치 설정 : 설정 → 유용한 기능 → 모션 및 제스처 → 두 번 눌러 화면 켜기, 두 번 눌러 화면 끄기 ON (활성화)

❷ 전원 켜기

: [전원] 버튼을 몇 초간 길게 누릅니다.

3 전원 끄기

[상태 표시줄]을 두 번 내리면 [전원] 버튼이 나옵니다.

[음량 줄이기 버튼]과 [측면 버튼]을 동시에 길게 누릅니다.

[빅스비]가 활성화되어 있으면 ["휴대전화 꺼줘"] 라고 말을 합니다.

4 다시 시작 (또는 재시작)

: [전원] 버튼을 길게 누르고 [다시 시작] 또는 [재시작]을 터치합니다.

04강 스마트폰 주요 버튼과 아이콘 모양 이해하기

1 [주요 버튼] 기능

* 스마트폰 기종에 따라 모양이나 위치가 다를 수 있습니다.

버튼		기능
	전원	길게 누르면 전원을 켜거나 끔 짧게 누르면 화면이 켜지거나 잠김
|||	최근 실행 앱	짧게 누르면 최근에 실행한 애플리케이션 목록이 보이고 모두 닫기 할 수 있음
⋮	메뉴	짧게 누르면 현재 화면에서 사용 가능한 메뉴가 나타남
○	홈	짧게 누르면 홈 화면이 실행 버튼일 경우 누르면 화면이 켜짐 (길게 누르면 OK 구글이 실행되기도 한다.)
< ⮌	취소	짧게 터치하면 이전 화면으로 전환

2 홈화면 하단 주요 버튼 아이콘

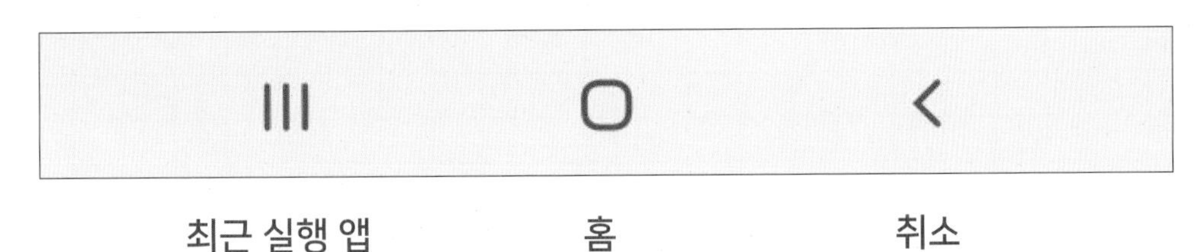

3 주요 아이콘

	설정		공유
	검색		편집
	삭제		더보기
	메뉴		저장
	즐겨찾기		링크

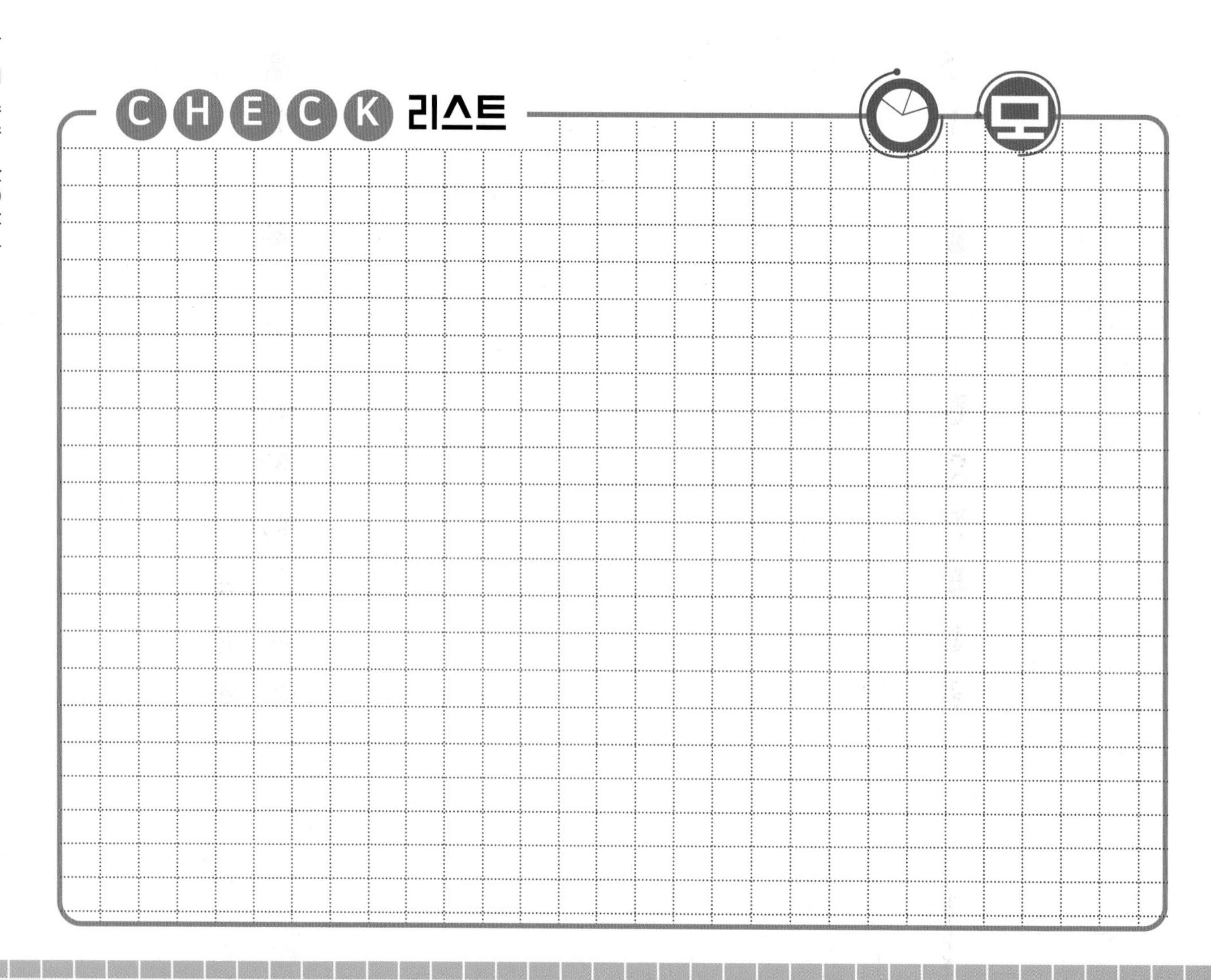

05강 스마트폰 각 부분의 이름

* 스마트폰 기종이나 출시한 통신사에 따라 다를 수 있습니다. (삼성 갤럭시 S10 5G 기준)

① 앞면

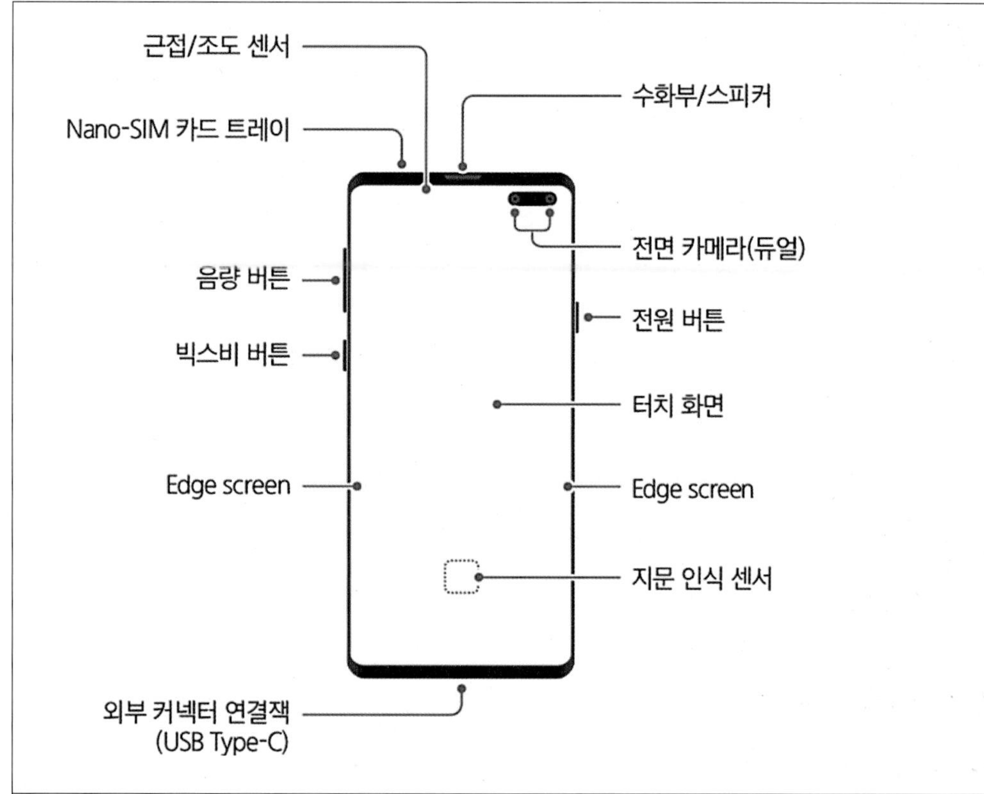

② 뒷면

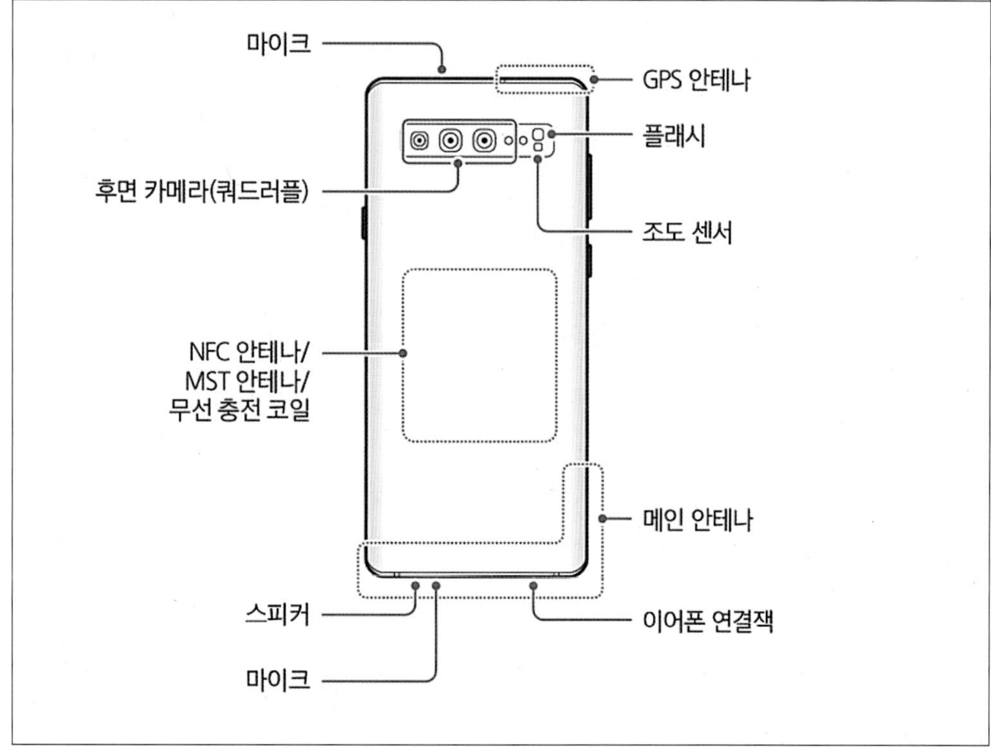

06강 스마트폰 조작 방법 알아보기

1) 터치, 탭 누르기

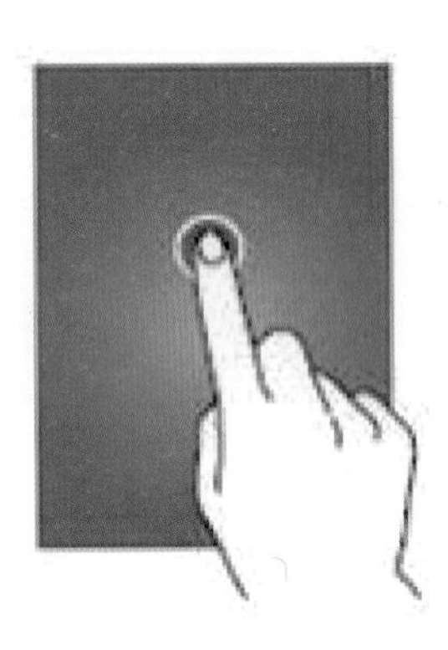

① 스마트폰 화면을 가볍고 짧게 눌렀다 떼는 작업입니다.

② 앱을 실행하거나 메뉴 선택 등에 사용합니다.

③ 키보드를 이용해서 문자를 입력할 때는 화면을 가볍게 누릅니다.

2) 롱 터치 (길게 누르기)

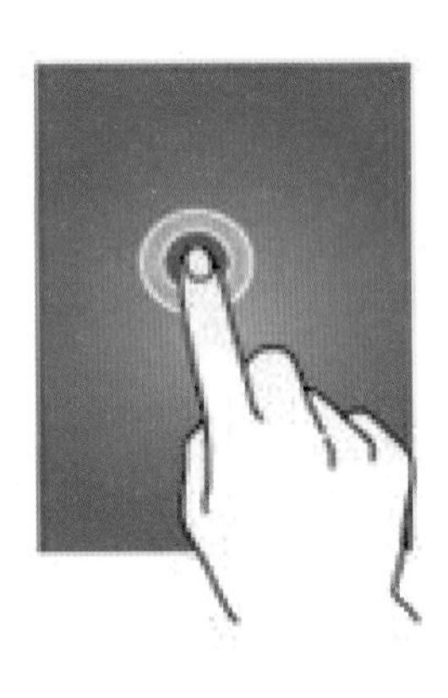

① 스마트폰 화면을 길게 누릅니다.
(세게 누르지 않아도 됩니다.)

② 선택한 대상에 대해 가능한 작업 목록이 나옵니다.

3) 더블 터치 (두 번 두드리기)

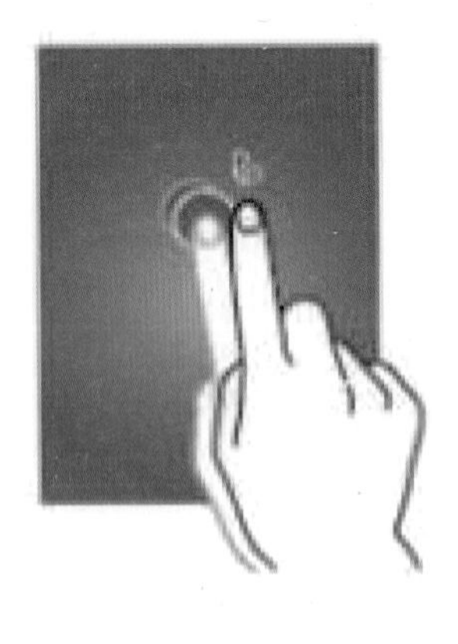

① 화면을 빠르게 두 번 누릅니다.

② 사진, 지도, 웹 페이지 등이 실행된 상태에서 일정 비율로 화면을 확대/축소할 수 있습니다.

4) 드레그 (끌기)

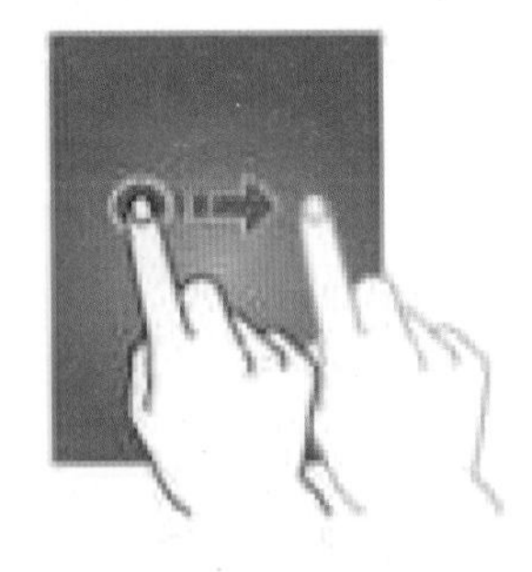

① 화면에 손가락을 터치 상태에서 손을 떼지 않고 원하는 위치로 이동한 후 손을 떼는 것

② 화면 이동할 때 사용합니다.

5) 스크롤 하기 (위/아래로 올리기/내리기, 좌우로 밀기)

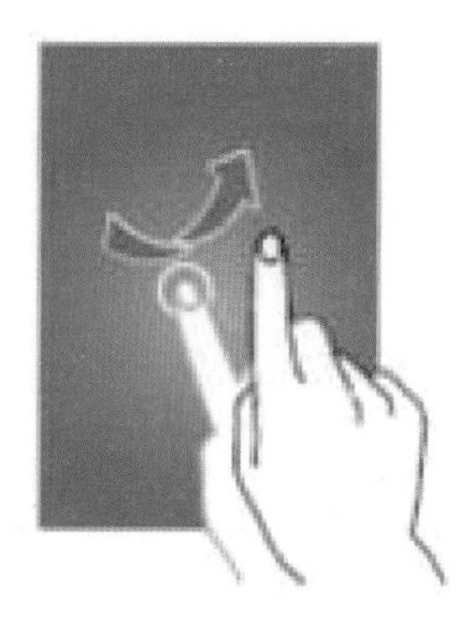

① 손가락을 위. 아래, 좌. 우로 스크롤 합니다.

② 홈 화면 또는 앱스 화면에서 다른 페이지로 이동할 수 있습니다.

③ 웹 페이지나 목록 화면에서는 위, 아래로 스크롤하여 내용을 확인할 수 있습니다.

6) 핑거 줌 실행 (오므리고 펼치기)

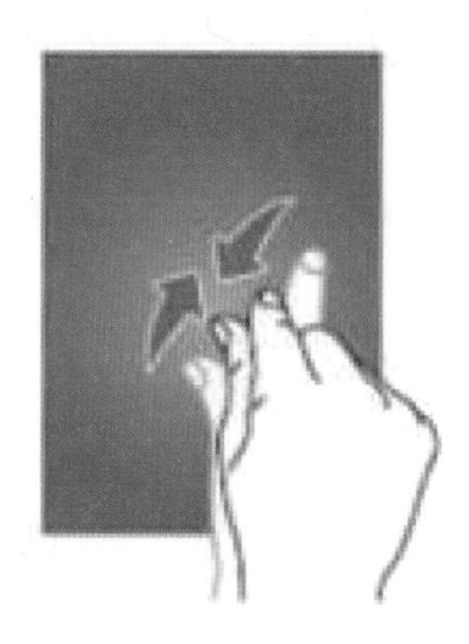

① 두 손가락으로 동시에 화면을 오므려서 축소하거나, 펼쳐서 확대해서 사용합니다.

② 사진, 글자, 인터넷 화면을 확대/축소할 수 있습니다.

07강 스마트폰 화면 구성

스마트폰 화면은 크게 [잠금화면], [홈 화면], [앱스 화면]으로 구성되어 있습니다.

1 잠금 화면

: 스마트폰을 켰을 때의 첫 화면입니다.

① 잠금을 설정하지 않았을 땐 화면을 드래그(drag)합니다.

② 잠금을 설정했을 땐 잠금을 해제합니다.

화면 잠금 방식으로는 패턴, 지문, 얼굴인식을 사용하고 있습니다.

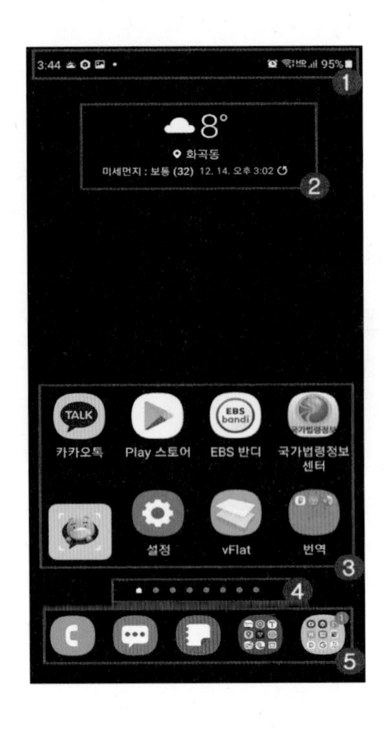

2 홈 화면

: 잠금 화면을 열었을 때 나오는 시작화면입니다.

① 상태 알림 줄 : 홈 화면 가장 윗단에 위치한 부분으로, 이 줄을 내리면 알림 정보를 확인할 수 있습니다.

② 위젯 : 홈 화면상에서 독립적으로 실행되도록 만든 미니 응용프로그램입니다.

③ 앱 아이콘 : 자주 사용하는 앱 아이콘을 꺼내놓고 사용하며, 원하는 위치에 배치할 수 있습니다.

④ 페이지 수 : 좌우로 드래그하면 페이지를 이동할 수 있습니다.

⑤ 고정 아이콘 : 사용자가 자신이 사용하기 원하는 앱 아이콘들로 변경할 수 있습니다.

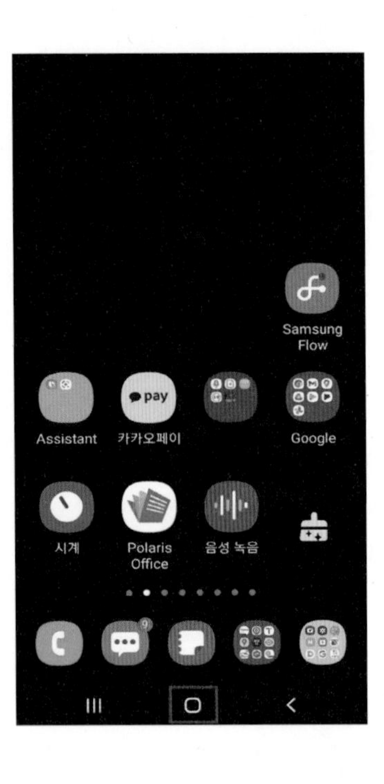

3 앱스 화면

: 홈 화면 외에 앱들이 배치된 화면입니다.

① 스마트폰에 설치된 모든 앱을 보여 줍니다.

② 사전에 설치된 내장(기본) 앱과 사용자가 추가로 설치한 앱이 여러 페이지에 걸쳐 나열되어 있습니다.

③ 앱은 기본적으로 앱스에 설치됩니다.

④ 화면 하단의 [홈 버튼]을 터치하면 홈 화면으로 되돌아갑니다.

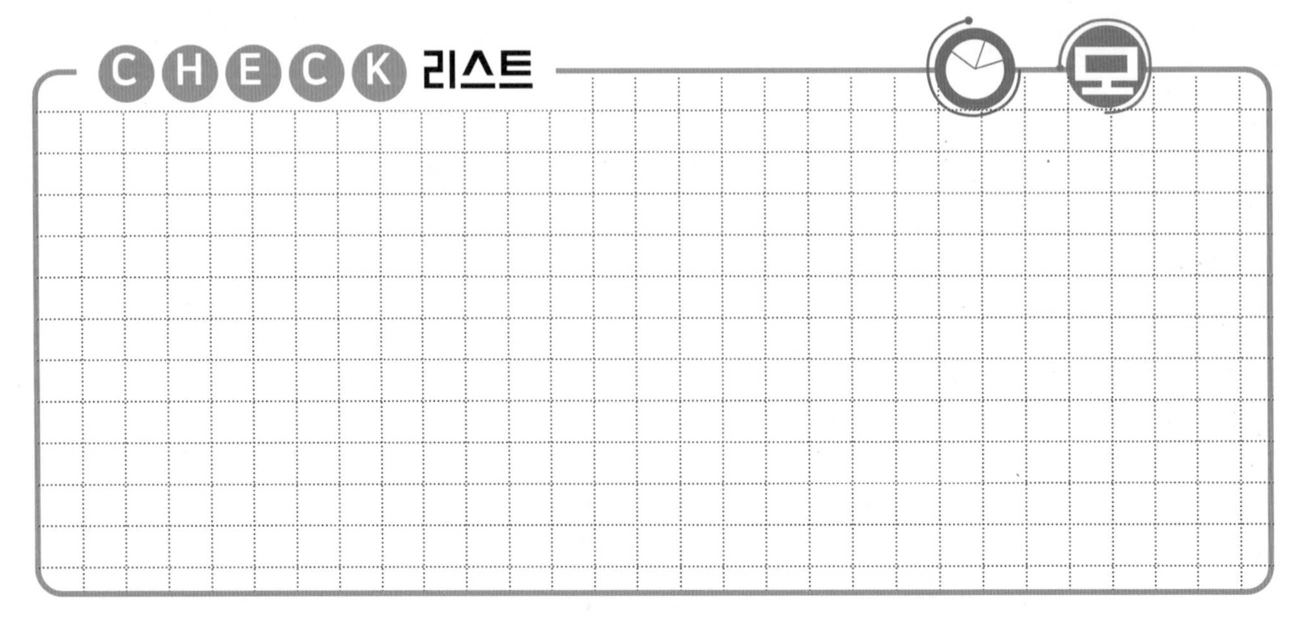

08강 상태 알림 줄 - 아이콘 설명

4:39 HD voice 69%

1 개요 : ① 스마트폰 화면 상단의 상태 표시 줄에 나타난 아이콘은 사용자의 사용 환경에 따른 제품 상태를 알려줍니다.

② 상태 알림 줄을 통해 시간, 새로운 문자, 전화, 와이파이 연결, 배터리 양 등을 확인할 수 있습니다.

2 상태 알림 줄 - 아이콘 설명

아이콘	의미
	신호 없음
	서비스 지역의 신호 세기 상태
R	로밍 실행 중
3G	3G네트워크에 연결됨
E	EDGE 네트워크에 연결됨
LTE	LTE 네트워크에 연결됨
H	HSDPA 네트워크에 연결됨
H+	HSPA+에 연결됨
	Wi-Fi에 연결됨
	블루투스 기능 켜짐
	비행기 탑승 모드 실행 중
	위치 서비스(GPS)켜짐
	무음모드 실행 중
	진동모드 실행 중
	음성전화 수신
	부재중 전화
	문자 또는 MMS 수신
	알람실행 중
	오류 발생 또는 주의 필요
	배터리 충전 중

09강 알림창 살펴보기 - 기본적인 내용

1 개요 : ① [상태 알림 줄]을 아래로 드래그하면 알림창이 열립니다.

② 빠른 설정 창, 밝기, 진행 중인 앱, 알림목록, 통신사 등을 확인할 수 있습니다.

③ 알림창 내의 아이콘을 터치하면 청색 빛을 띠면서 켜지고, 다시 터치하면 꺼집니다.

2 알림창 화면 - 아이콘(기본)

① 스마트폰의 환경설정 아이콘입니다.

② 버튼 순서 변경 등 빠른 설정 창을 구성합니다.

③ 무료로 무선 인터넷을 사용하거나 해제할 수 있습니다.

④ 소리, 진동. 무음으로 설정 수 있습니다.

⑤ 무선으로 블루투스 스피커나 장비들을 연결할 때 사용합니다.

⑥ 화면을 가로나 세로 방향으로 회전할 때 사용합니다.

⑦ 탑승 시 이것을 켜면 전화나 문자 및 무선네트워크가 차단됩니다.

⑧ 손전등을 켜거나 끌 때 사용합니다.

⑨ [근거리 비접촉 통신]으로 티머니, NFC 등 모바일 결제 서비스에 사용합니다.

⑩ 배터리 사용 가능 시간을 늘리고자 할 때 켭니다.

⑪ 자신의 스마트폰 배터리를 이용하여 무선충전을 지원하는 기기를 충전할 수 있습니다.

⑫ 데이터를 사용하거나 차단할 때 사용합니다.

⑬ 눈에 부담을 줄여줘서 편안하게 화면을 볼 수 있게 하는 블루 라이터 필터입니다.

⑭ 스마트폰과 PC를 연결할 때 사용하는 기능입니다.

⑮ 화면 밝기를 조절할 때 사용합니다.

⑯ 다른 큐알 코드 안에 저장된 다양한 정보에 손쉽게 접근할 수 있도록 도와줍니다.

⑰ 스마트폰의 데이터를 다른 사람의 기기에 나눠 쓸 때 사용합니다.

⑱ 스마트폰의 현 위치를 알려줍니다.

⑲ 스마트폰의 영상이나 화면을 큰 화면으로 보기 위해 다른 기기로 송출할 때 사용합니다.

10강 소리/진동/무음 바꾸기

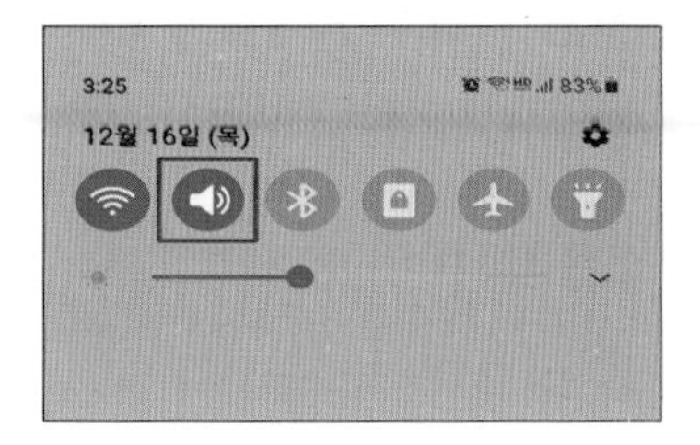

① [알림 상태 줄]을 아래로 드래그한 후 소리 를 터치합니다.

② 터치순서에 따라 (진동) → (무음) 순으로 바뀝니다.

11강 화면 자동 꺼짐 시간 조절하기

1 이유 : ① 화면이 자주 꺼지는 경우에는 화면을 자주 켜줘야 하는 불편함이 있고,

② 화면이 오래도록 안 꺼지는 경우에는 배터리 소모량이 많기 때문입니다.

2 화면 자동 꺼짐 시간 조절 방법 (예 : 5분으로 설정하고자 할 경우)

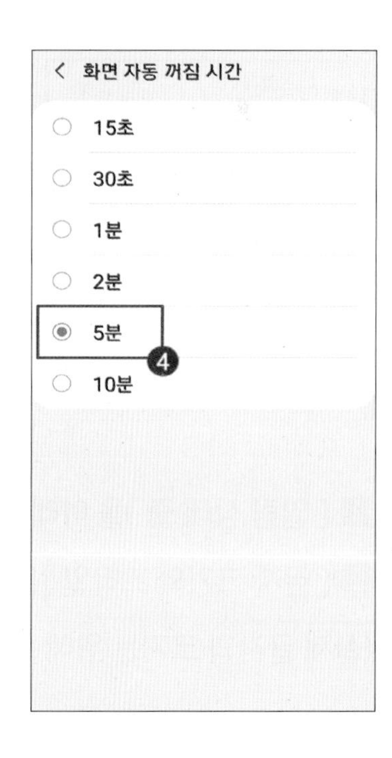

1 ① [알림 상태 줄]을 아래로 드래그한 후 설정 ✿ 을 터치합니다. ② [디스플레이](화면)를 터치합니다. 2 ③ [화면 자동 꺼짐 시간]을 터치합니다. 3 ④ 시간을 터치합니다.

12강 화면 밝기 조절하기

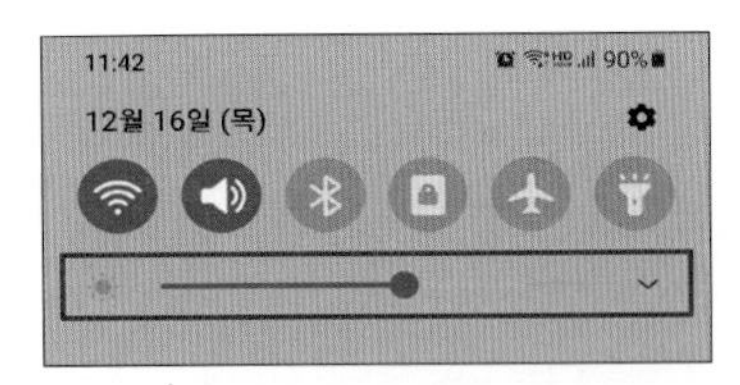

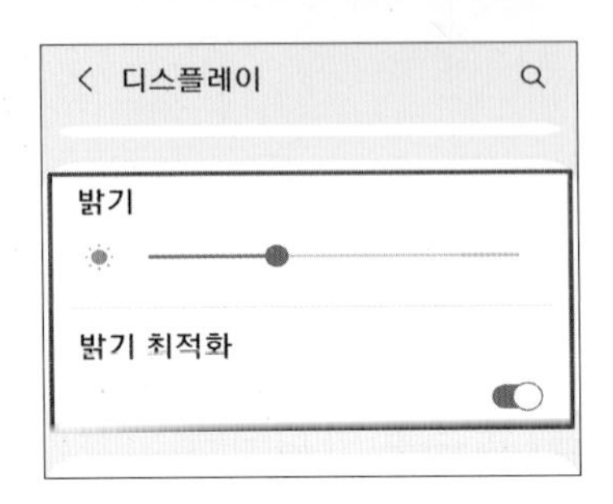

두 가지 조절 방법이 있습니다.

1 방법1 : ① [상태 알림 줄]을 아래로 드래그합니다.

② 밝기 조절 막대를 터치하여 좌우로 조절합니다.

2 방법2 : ① [상태 알림 줄]을 아래로 드래그한 후 설정 ⚙ 을 터치합니다.

② [디스플레이](화면)를 터치하여 밝기를 조절합니다.

③ [밝기 최적화]를 활성화하면 화면을 자동으로 밝게 해 줍니다.

13강 화면 글자 크기 조절하기

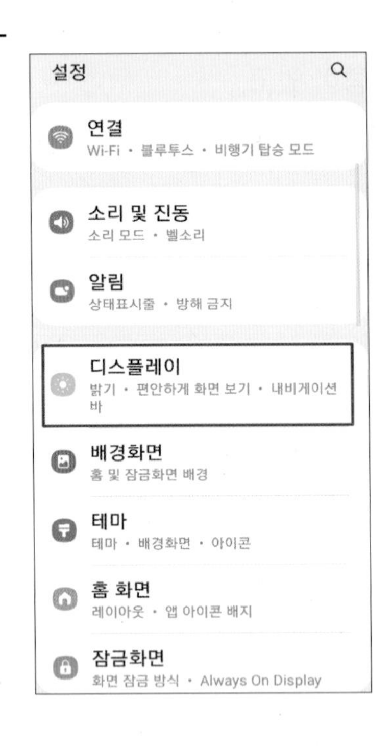

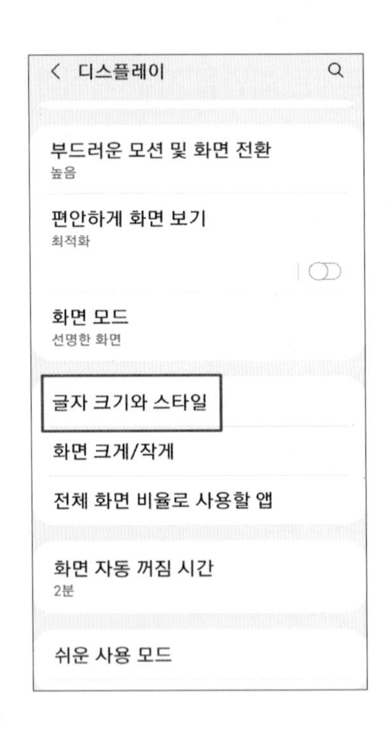

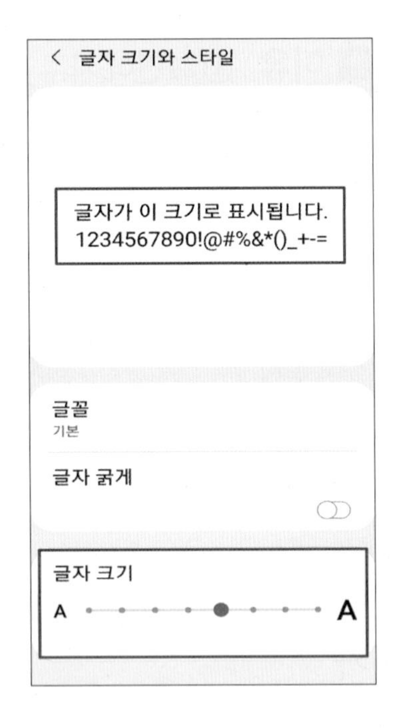

1 [알림 상태 줄]을 아래로 드래그한 후 설정 ⚙을 터치합니다. [디스플레이]를 터치합니다.

2 [글자 크기와 스타일]을 터치합니다. 3 글자 크기 조절 막대를 좌우로 움직여 크기를 정합니다.

(실제 글자의 크기는 위에 표시됨)

14강 저장 공간 확인 및 확보하기

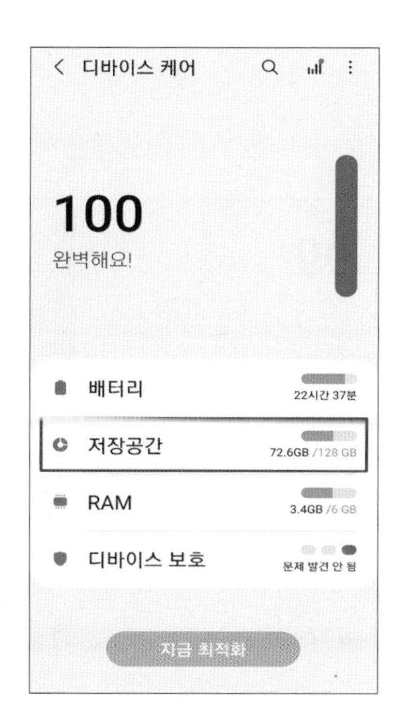

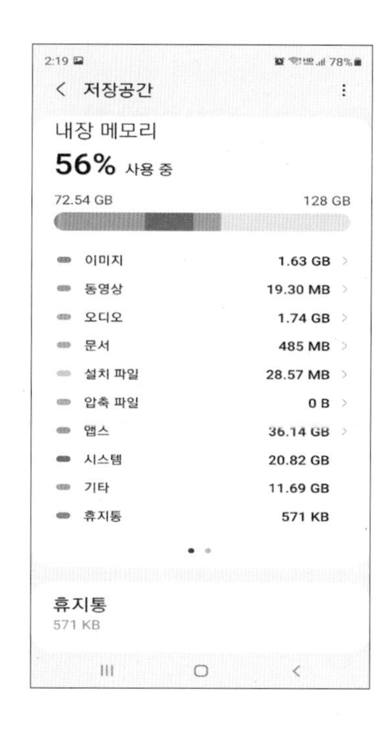

❶ 저장 공간 확인하기

❶ [알림 상태 줄]을 아래로 드래그한 후 [설정 ⚙]을 터치합니다. [배터리 및 디바이스 케어]를 터치합니다. ❷ [저장공간]을 터치합니다. ❸ 전체 저장 공간 대비 현재 사용 중인 메모리양(%)을 확인할 수 있습니다.

❷ 저장 공간 확보하기

① [휴지통]에 있는 것들을 확인한 후 비우기를 합니다(어떤 기종은 휴지통이 없음).
② [사용하지 않는 앱] 역시도 확인 후 삭제합니다. ③ [중복 파일]을 삭제합니다.
④ [용량이 큰 파일이나 동영상]을 삭제함으로써 저장 공간을 확보합니다.

15강 디바이스 케어로 스마트폰 최적화하기 - 삼성 스마트폰(노트 10 기준)

❶ 기기 최적화하기

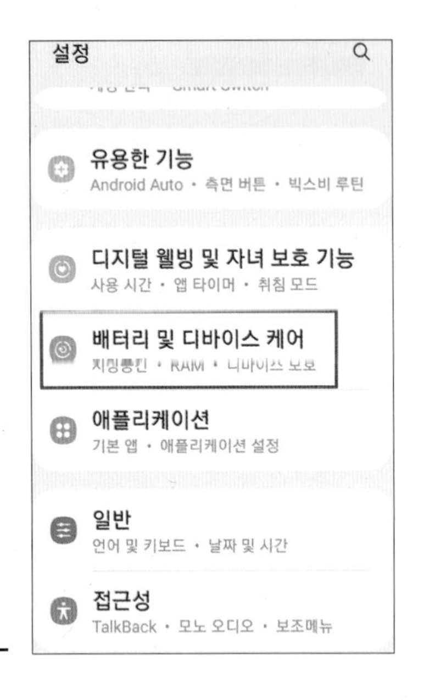

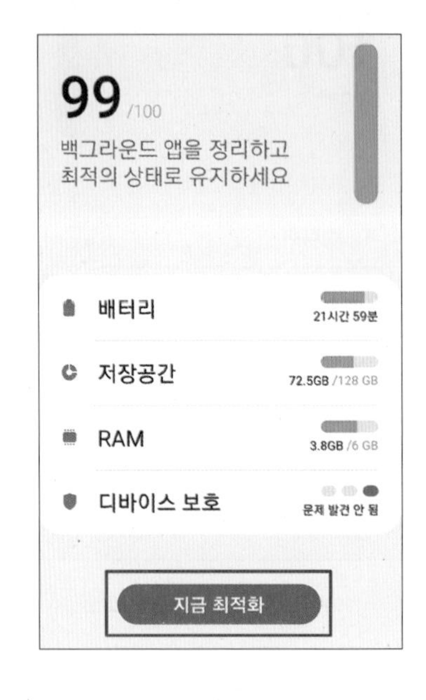

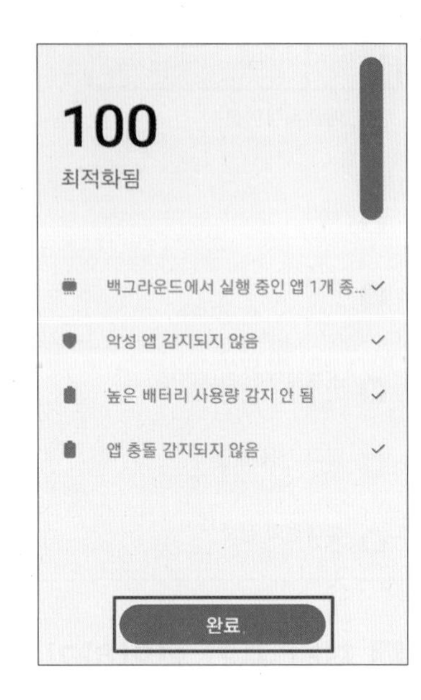

❶ [알림 상태 줄]을 아래로 드래그한 후 설정⚙을 터치합니다. [배터리 및 디바이스 케어]를 터치합니다. ❷ [지금 최적화]를 터치합니다. ❸ 기기의 최적화 작업이 끝나면 [완료]를 터치합니다.

❷ 기기 최적화, 더 간편하게 하기

홈 화면에 [최적화 바로 가기]를 추가하여 사용하면 위 과정이 단축됩니다.

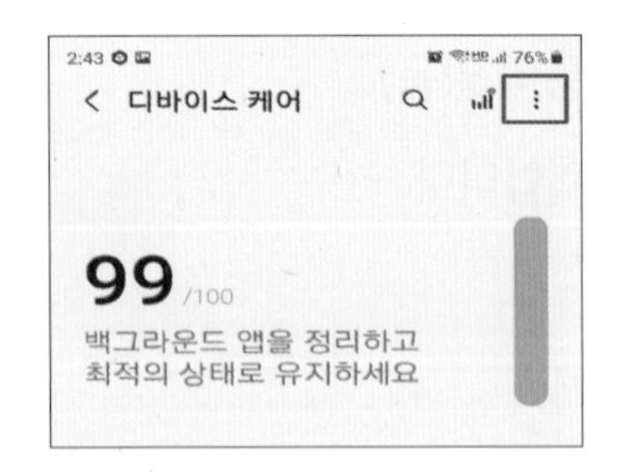

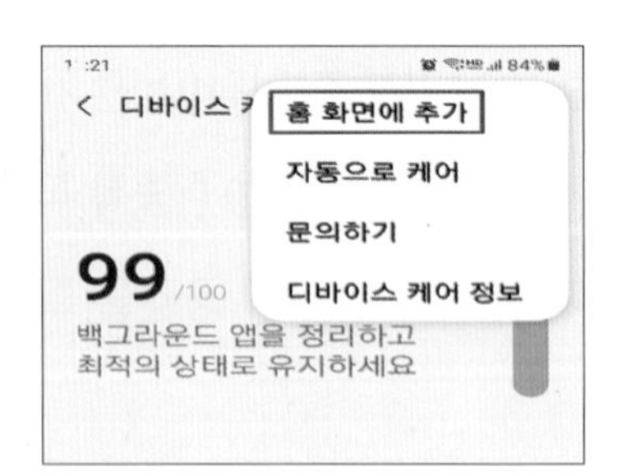

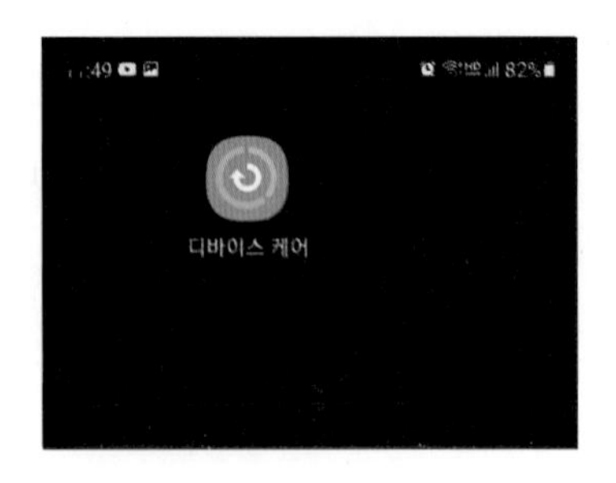

❶ [알림 상태 줄]을 아래로 드래그한 후 설정⚙을 터치합니다. [배터리 및 디바이스 케어] - [디바이스 케어] 화면의 상단 우측의 ⋮ [더보기]를 터치합니다. ❷ [홈 화면에 추가]를 터치합니다. ❸ 홈 화면에 추가된 [디바이스 케어 아이콘]을 터치하면 [디바이스 케어]로 이동하여 최적화 작업을 할 수 있습니다.

16강 최근 실행 앱 확인하기

❶ 스마트폰 하단 내비게이션 바의 [최근 실행 앱 버튼]을 터치합니다. 그럼 최근 실행했던 앱 목록이 나옵니다. 그 중에서 원하는 앱을 터치하면 그 앱으로 돌아갑니다. ❷ 만일 아래쪽의 [모두 닫기]를 터치하면 최근 실행 앱 전체가 닫힙니다. ❸ 다시 최근 실행 앱 버튼을 터치하면 [최근에 사용한 앱이 없습니다]라는 문구가 화면에 뜹니다.

17강 연락처 활용

❶ 연락처 추가

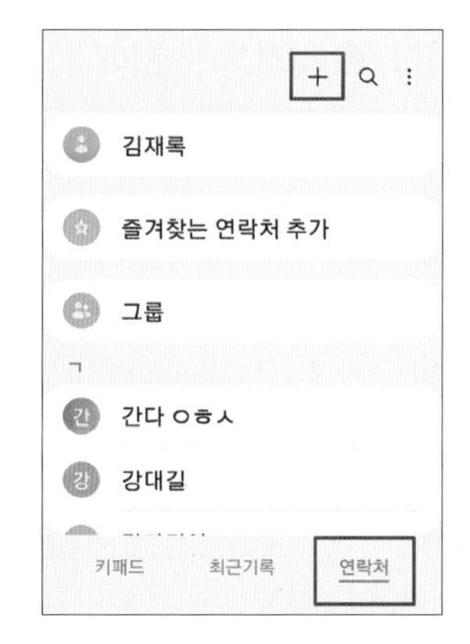

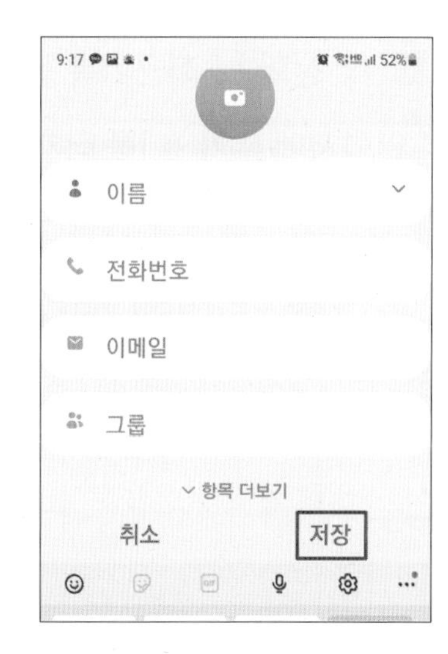

❶ (전화)를 터치합니다. ❷ [연락처]를 터치하고 연락처 추가 아이콘 [+]를 터치합니다.
❸ 이름과 전화번호를 기록하고 [저장]을 누릅니다. 만일 이 연락처에 프로필 사진을 넣고자 한다면 를 터치하여 갤러리에 있는 사진을 가져오거나, 그 자리에서 카메라를 터치해 찍은 사진을 올리면 됩니다.

※ 문자로 받은 전화번호 등록 방법

1 문자 메시지로 받은 경우

① 전송된 전화번호를 터치합니다. ② 상단의 [+]를 터치합니다. ③ [새 연락처 등록]을 터치한 후 이름을 기록하고 [저장]합니다.

2 카톡으로 받은 경우

① 전송된 번호를 터치합니다. ② [복사]를 합니다. ③ [홈 버튼]을 눌러 홈 화면으로 돌아간 후 (전화)를 터치합니다. ④ 연락처를 터치합니다. ⑤ [+]를 터치합니다. ⑥ [전화번호란]를 길게 눌러 복사한 번호를 [붙여넣기] 합니다. ⑦ 이름은 기록한 후 [저장] 합니다.

3 최근 통화한 전화번호 저장 방법

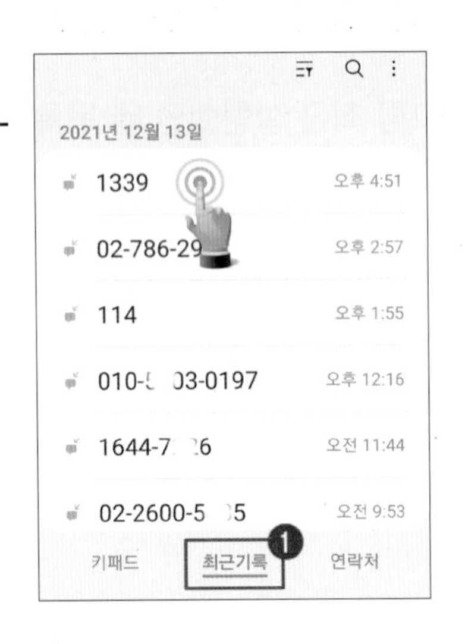

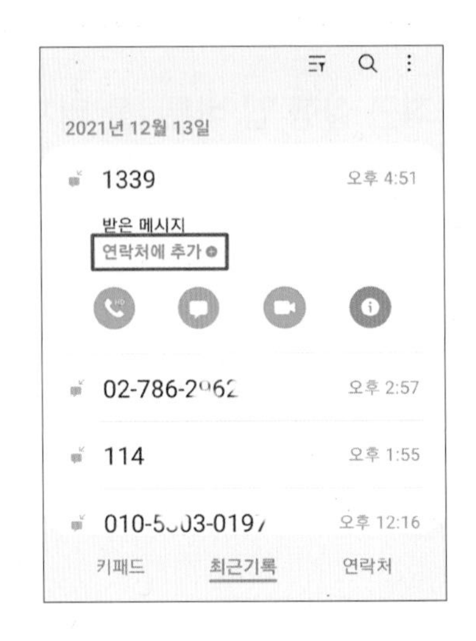

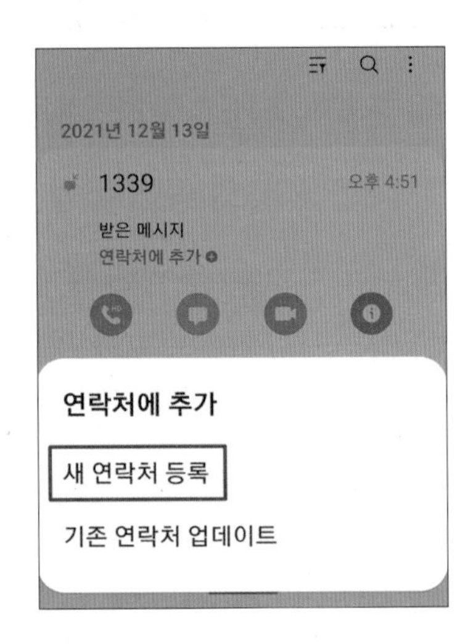

1 전화 - [최근기록]을 터치합니다. 2 걸려온 번호(예 : 1339)를 터치합니다. [연락처에 추가 ⊕]를 터치합니다. 3 [새 연락처 등록]을 터치한 후 이름을 기록하고 [저장]합니다.

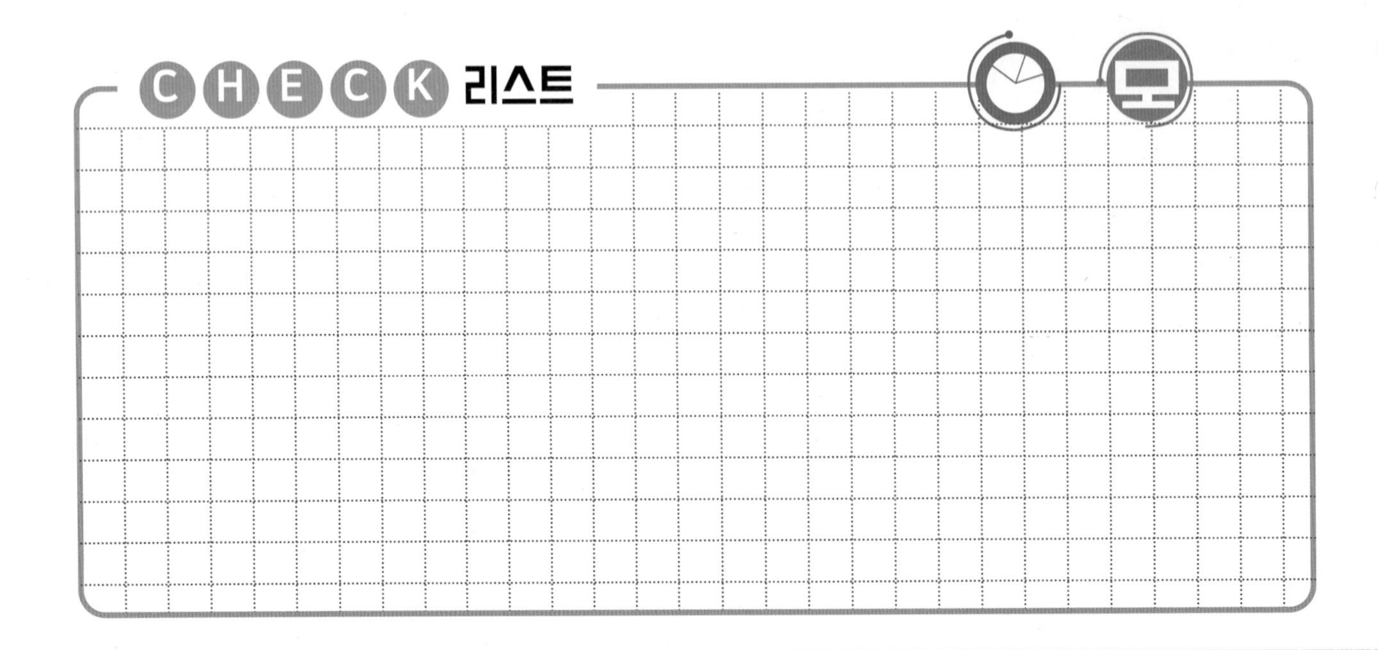

❷ 연락처 삭제

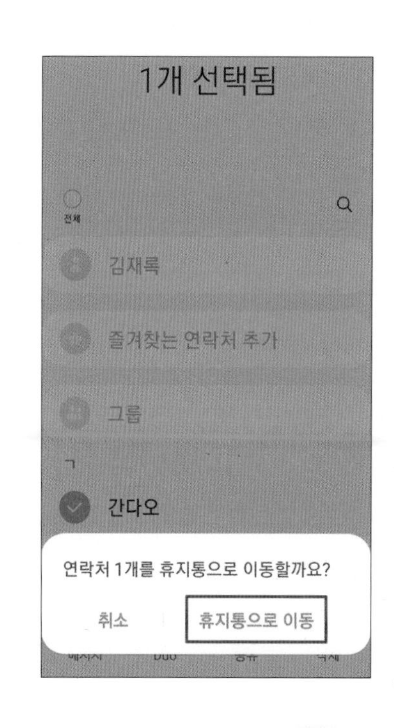

❶ 전화 - [연락처]를 터치합니다. ❷ ① 해당자 이름(예 : 간다오)을 길게 누르면 이름 앞이 ✓ 로 바뀌고 아래엔 ② [삭제]가 생성됩니다. ❸ [삭제] 터치한 후에 나타난 [휴지통으로 이동]을 누르면 됩니다.

❸ 연락처 검색

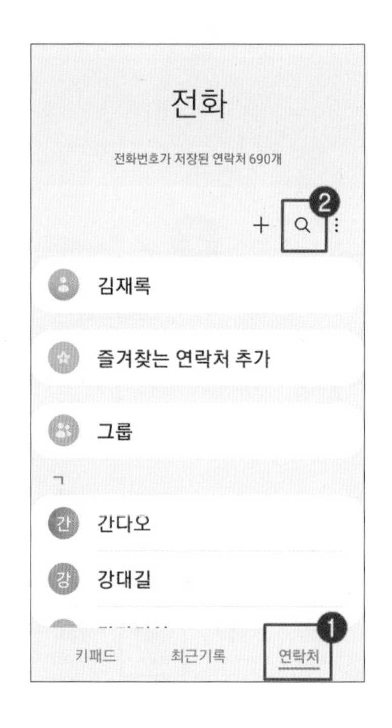

❶ 홈 화면의 전화 앱을 터치한 후 하단 메뉴 중 ① [연락처]를 터치합니다. ② 검색을 하기 위해서 [돋보기(검색)]를 터치합니다. ❷ 검색창에 찾고자 하는 이름을 입력합니다('김여름'인 경우 초성 'ㄱㅇㄹ'으로 검색할 수 있습니다.). ❸ 예시 화면을 볼 수 있습니다.

4 연락처 편집

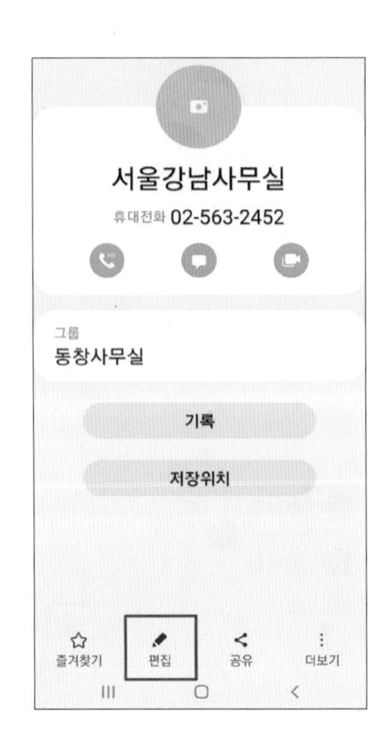

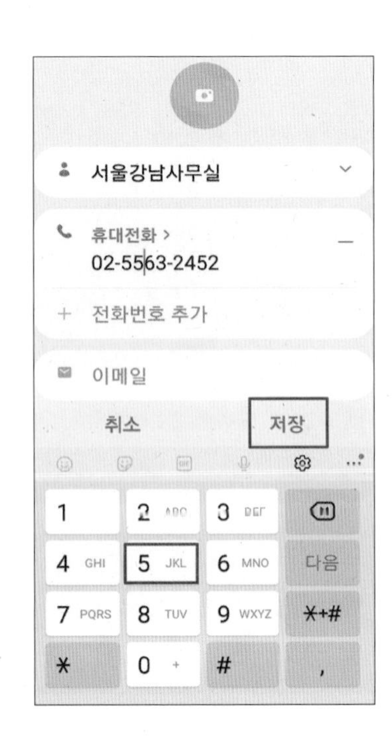

1 편집하고자 하는 연락처 이름을 찾아 터치합니다. 중간의 우측 ⓘ 아이콘을 터치합니다. 2 하단의 [편집]을 터치합니다. 3 번호나 이름 중 수정할 곳을 터치하여 내용을 고친 후 [저장] 하면 바뀐 내용으로 저장됩니다(예 : 563국 → 5563국).

5 연락처 보내기 (예 : [간다오]의 번호를 [김여름]에게 보내기)

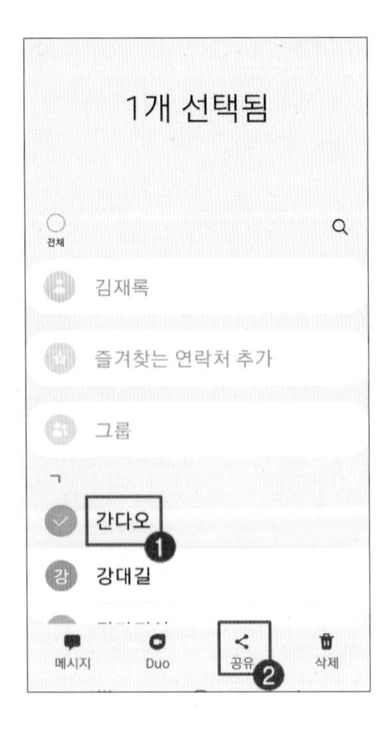

1 [전화]를 터치합니다. ① [이름(간다오)]을 길게 누릅니다(이름 앞에 ✓ 이 생기면서 아래에는 공유 <가 생성됨). ② 이<를 터치한 후 2 [파일과 텍스트] 중에 택일합니다. 3 만일 텍스트를 터치하면, 받는 사람 목록이 있는 [카톡 친구 목록] 혹은 [문자메시지 주소록] 등으로 안내합니다.

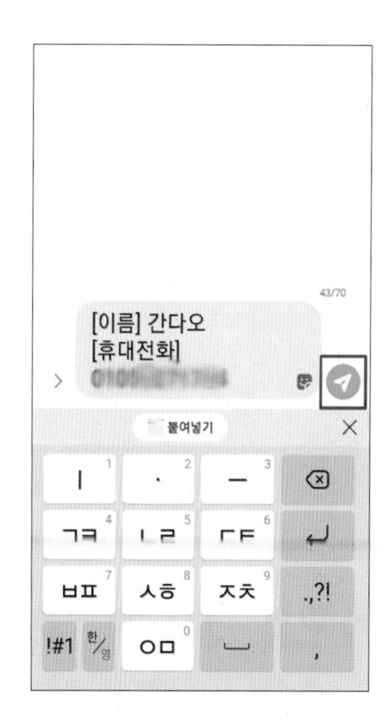

1 메시지 를 터치한 후, ① [받는 사람(김여름)]을 터치하고 2 [완료]하면 문자메시지 창에 연락처가 실립니다. 3 보내기 를 터치하면 연락처가 전송됩니다.

6 통화 상태에서 상대방에게 타인의 연락처 보내기

※ 이후로는 위의
[5 연락처 보내기]와 동일

1 통화 중 상태에서 화면의 [홈 버튼]을 누릅니다. 2 를 터치합니다. 3 돋보기(검색)를 터치한 후 이름을 입력합니다. ④ 밑에 나타난 연락처를 길게 누릅니다. 이때 이름 앞에는 이 나타나고 하단에는 공유가 뜹니다. ⑤ 공유를 터치합니다. ⑥ 형식(파일 혹은 텍스트)을 택일합니다. ⑦ [빠른 나눔창]에서 지금 통화하고 있는 사람을 찾아내고 전송합니다(카톡을 터치할 경우엔 [친구목록] 중에서 통화자의 이름을 찾아내 터치하면 됨). 만일 문자메시지로 보내려면 [메시지]를 터치합니다. 주소록에서 통화자의 이름을 찾아낸 후 [완료]를 터치하고, 문자메시지의 [보내기]를 누릅니다.

18강 화면 페이지 편집

1 페이지 추가

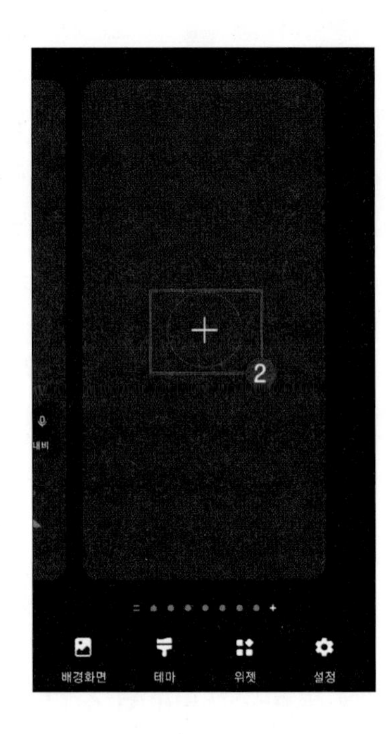

1 ① 홈 화면이나 아무 페이지 빈 곳을 길게 누릅니다. 2 그러면 페이지 수를 나타내는 점 옆에 작은 + 표시가 생깁니다. 화면을 좌측으로 넘긴 후 3 새로 만들어진 페이지의 ② [+]를 터치하면 빈 페이지가 추가됩니다.

2 페이지 삭제

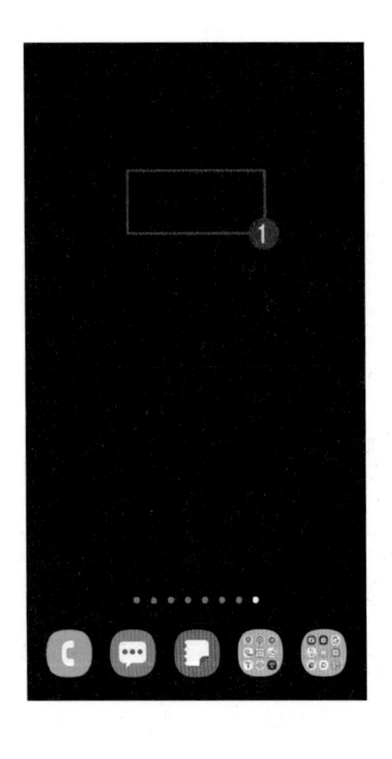

1 ① 빈 페이지를 길게 누르면 위에 휴지통이 생깁니다.

2 ② [휴지통]을 터치하면 빈 페이지가 삭제됩니다.

3 홈 페이지 지정 및 페이지 순서 변경하기

1 ① 홈 페이지로 지정하고 싶은 페이지를 길게 누릅니다. ② 위에 생긴 집 모양을 터치하면 홈 페이지로 바뀝니다. 2 페이지 순서를 변경할 때는 화면을 길게 누른 상태에서 그 화면을 이동하면 됩니다.

4 홈 화면에서 앱 삭제하기

1 홈 화면에서 삭제할 앱을 길게 누릅니다. [설치 삭제]를 터치합니다. 2 "앱을 제거하겠습니까?" 라는 질문에 [확인]을 터치하면 지정한 앱이 삭제됩니다.

❺ 앱을 다른 화면으로 이동시키기(두 가지 방법)

❶ 드래그 하는 방법

❶ 해당 앱을 길게 누른 상태에서 (글 상자가 뜸) 그대로 드래그합니다. ❷, ❸ 해당 앱을 원하는 위치나 다른 페이지로 이동시킵니다.

❷ 터치로 이동시키는 방법

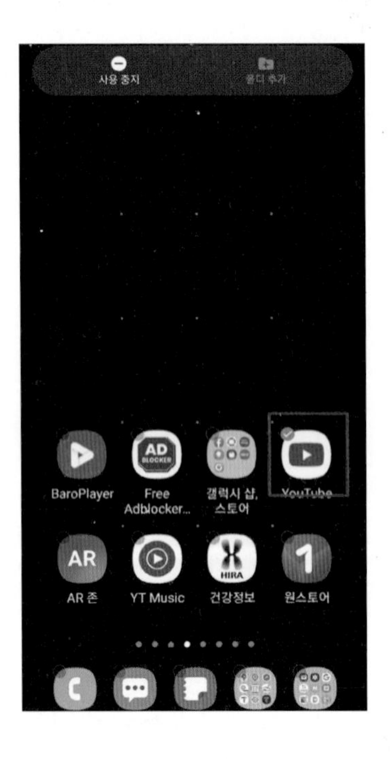

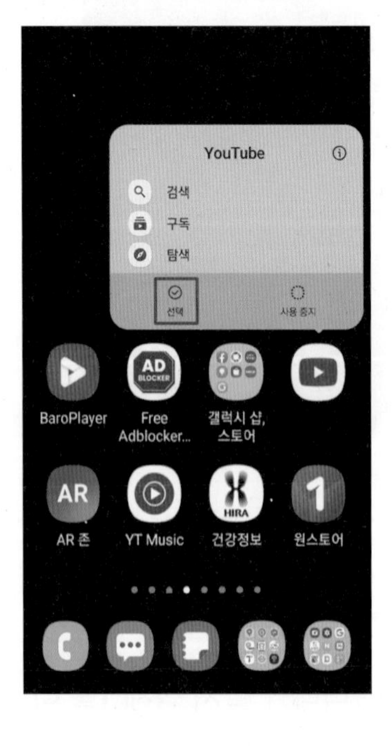

❶ 해당 앱을 길게 누릅니다. ❷ [선택]을 터치합니다. ❸ 원하는 위치 혹은 앱스 페이지 화면에 손가락을 누르고 있으면 앞서 선택된 앱이 옮겨옵니다.

19강 폴더 관리하기

❶ 폴더 만들기, 폴더에 앱 추가하기

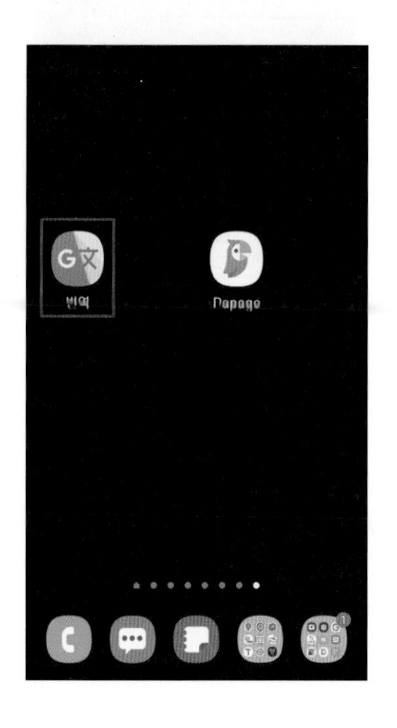

❶ 폴더에 넣기를 원하는 앱을 길게 누릅니다. ❷ [선택]을 누릅니다. ❸ ① 폴더에 함께 넣고자 하는 다른 앱을 터치한 후 ② [폴더 추가]를 누릅니다.

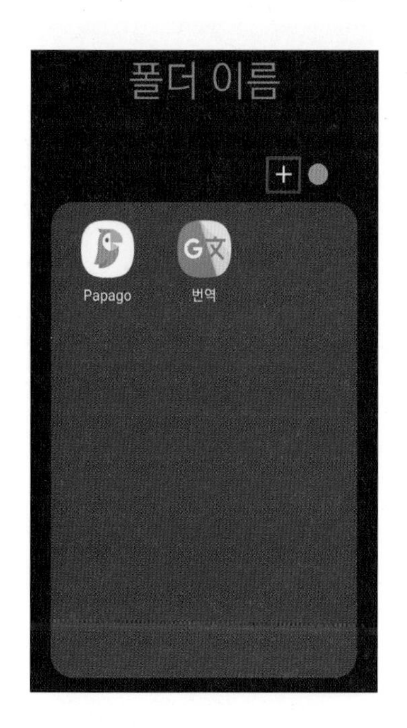

❶ 폴더가 형성된 후 다른 앱을 추가하려면 [+]를 터치합니다. ❷ 추가할 앱을 찾아 터치하고 [완료]한 후 ❸ 취소 버튼을 누르면 폴더가 완성됩니다.

2 폴더 이름 만들기

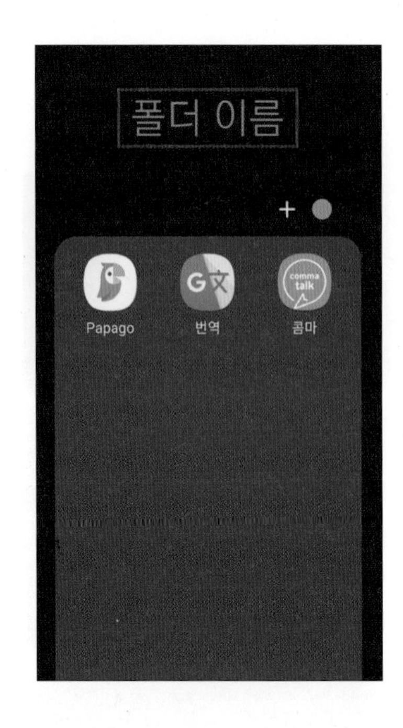

1 이름을 붙이고 싶은 폴더를 터치합니다. 2 [폴더 이름]을 터치합니다. 3 ① 폴더 이름을 입력한 후 ② [완료]를 누릅니다.

3 폴더 이름 바꾸기

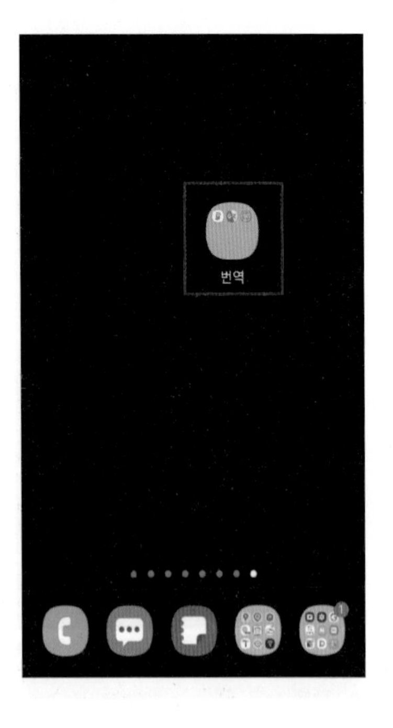

1 이름을 변경하고자 하는 폴더를 터치합니다. 2 [폴더 이름]의 마지막 글자 뒤를 터치합니다.
3 ① 백스페이스(backspace)로 폴더의 이름을 지우고, 새 이름을 입력한 후 ② [완료]를 누릅니다.

4 폴더의 배경색 바꾸기

1 배경색을 바꾸고자 하는 폴더를 터치합니다. 2 색을 나타내는 원을 터치합니다.

3 다양한 색을 포함하고 있는 [그라데이션] 원을 터치합니다.

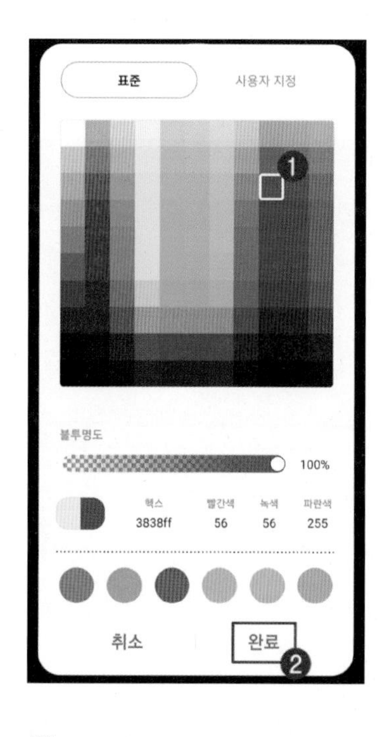

1 ① 여러 색 중에서 맘에 드는 색을 터치하고 ② [완료]를 누릅니다. 2 [취소 버튼]을 누릅니다.

3 폴더의 배경색이 지정한 색으로 바뀝니다.

5 기존의 폴더에 앱 추가하기

1 앱(예 : 카카오 맵)을 추가하고자 하는 폴더(예 : 교통) 곁으로 이동시킵니다. 2 앱을 길게 누른 후 드래그하여 폴더에 합치듯 밀어 넣습니다. 3 폴더에 앱이 추가됩니다.

6 폴더에 있는 앱을 밖으로 꺼내기

1 꺼내려는 앱이 있는 폴더를 터치합니다. 2 해당 앱을 길게 누른 후 드래그하여 밖으로 꺼냅니다. 3 밖으로 나온 앱을 원하는 위치나 다른 페이지로 이동시킵니다.

20강 위젯 활용하기 - 바로전화걸기,돋보기,디바이스케어, 카카오큐알코드

1 [다이렉트 전화] 위젯 추가하기

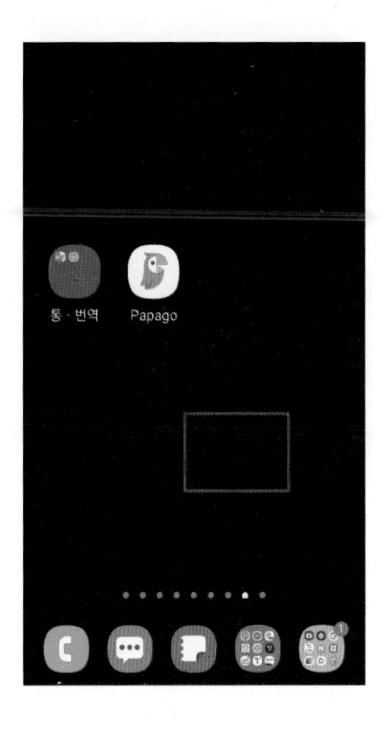

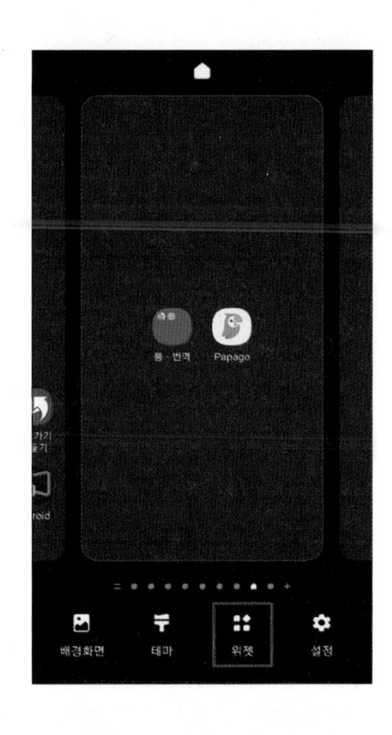

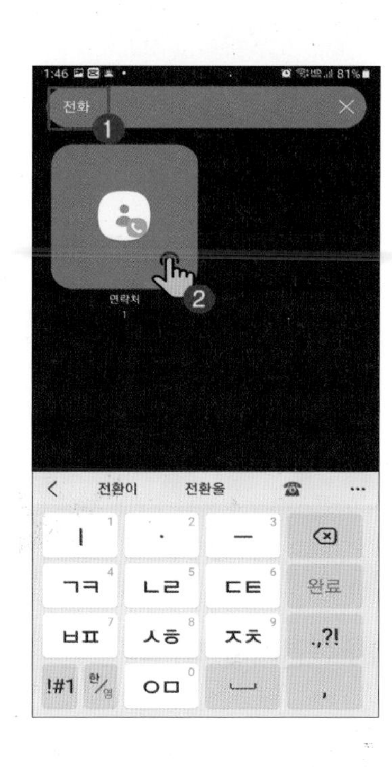

1 홈 화면 중 [빈 곳]을 길게 누릅니다. 2 하단의 위젯을 터치합니다. 3 ① 검색창에 [전화]라고 검색합니다. ② [연락처]를 터치합니다.

1 다이렉트 전화 [추가]를 터치합니다. 2 검색창에 찾고자 하는 전화명을 입력한 후 밑에 나타난 연락처를 터치합니다. 3 홈 화면에 [다이렉트 전화] 위젯이 설치됩니다.

❷ [돋보기] 위젯 추가하기

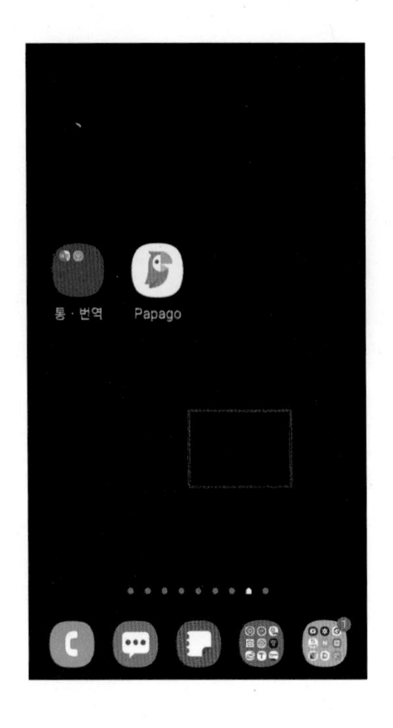

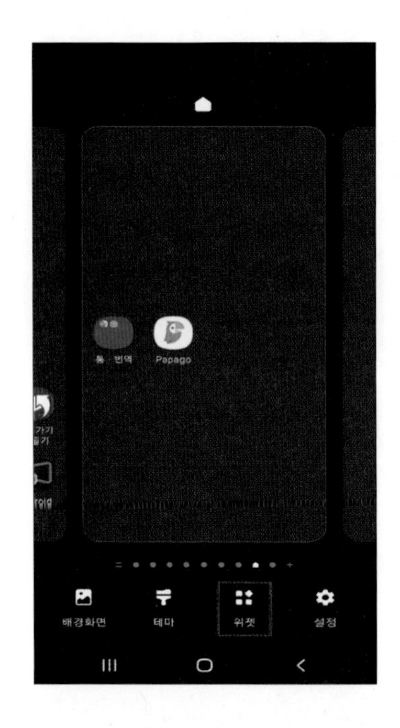

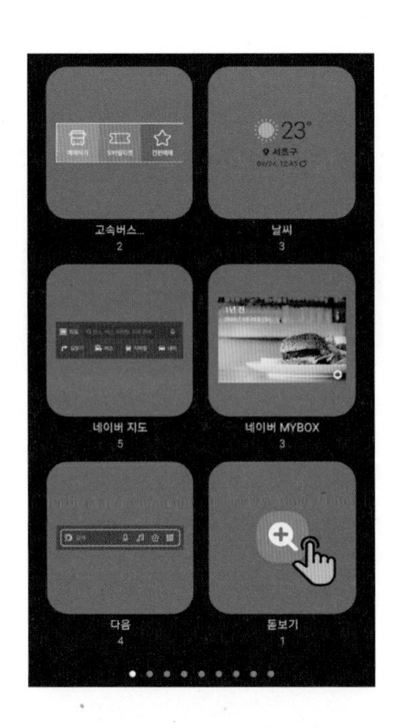

❶ 홈 화면 중 [빈 곳]을 길게 누릅니다. ❷ 하단의 [위젯]을 터치합니다.

❸ 화면에서 하단에 있는 [돋보기]를 터치합니다.

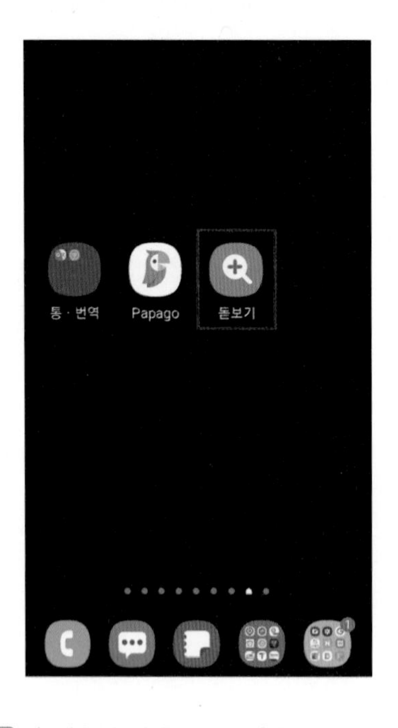

❶ 돋보기 [추가]를 터치합니다. ❷ 홈 화면에 [돋보기] 위젯이 설치됩니다. ❸ 조절점을 좌우로 움직여 글씨의 크기를 조절하고, 어두울 때는 손전등을 켜면 작은 글씨를 크고 밝게 볼 수 있습니다.

3 [디바이스 케어] 위젯 추가하기

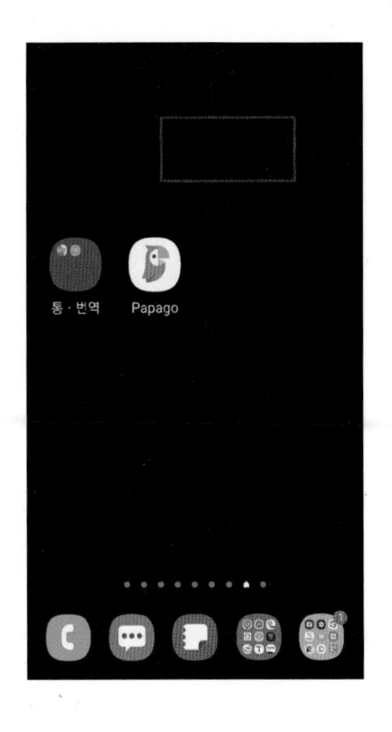

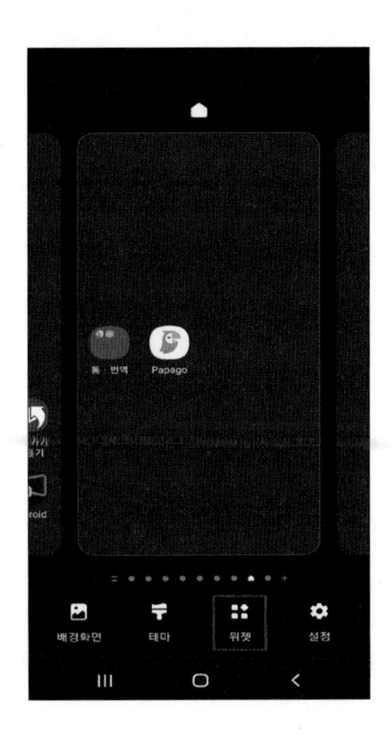

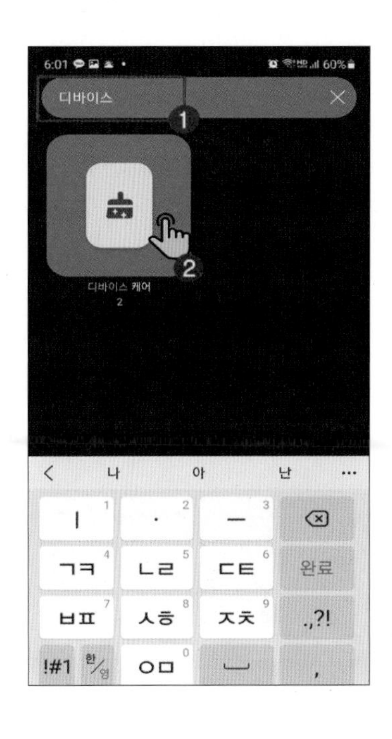

1 홈 화면 중 [빈 곳]을 길게 누릅니다. 2 하단의 [위젯]을 터치합니다.

3 ① 검색창에 [디바이스]라고 검색합니다. ② 검색된 [디바이스 케어]를 터치합니다.

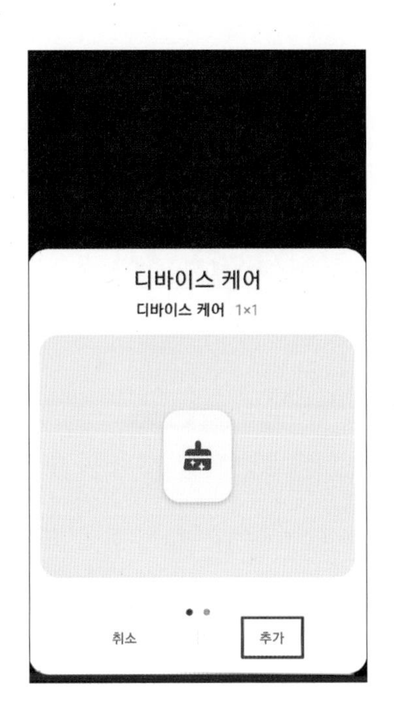

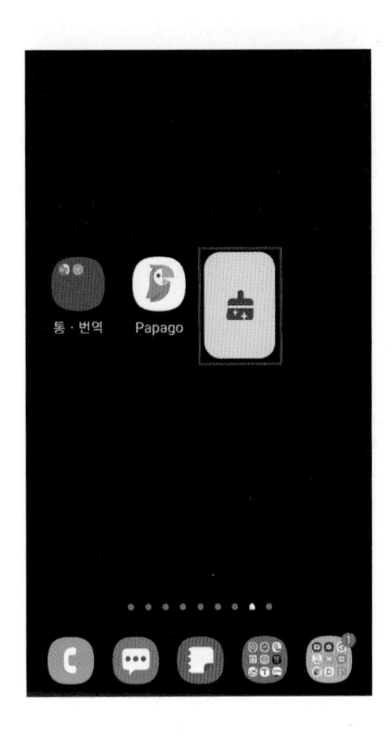

1 디바이스 케어 [추가]를 터치합니다. 2 홈 화면에 [디바이스 케어] 위젯이 설치됩니다.

3 디바이스 케어 위젯을 터치해 주면 간편하게 저장공간을 최적화 할 수 있습니다.

4 [카카오톡 큐알코드] 위젯 추가하기

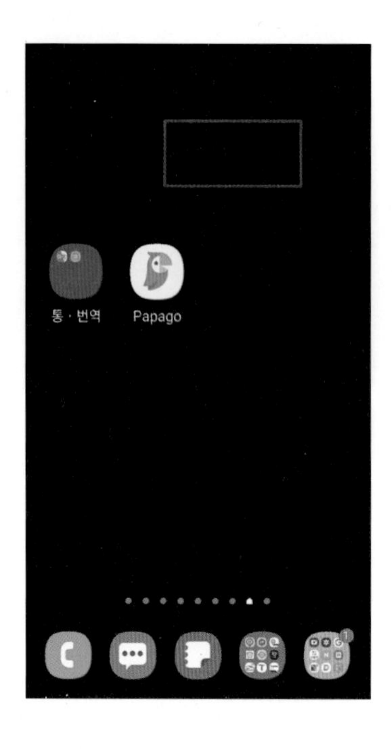

1 홈 화면 중 [빈 곳]을 길게 누릅니다. 2 하단의 위젯을 터치합니다. 3 ① 검색창에 [qr] 이라고 검색한 후 ② 밑에 생성된 [카카오톡 QR 체크인]을 터치합니다.

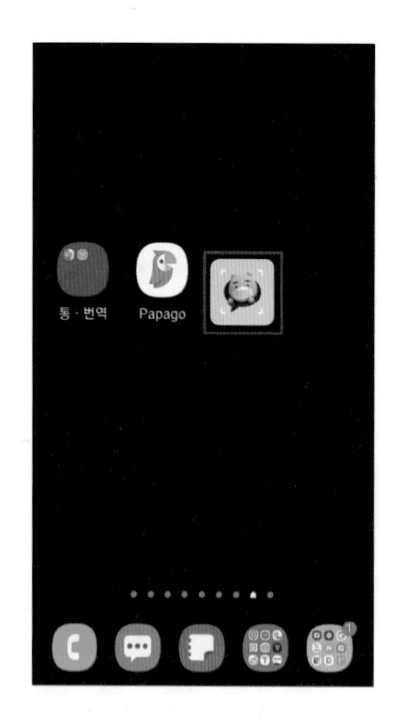

1 카카오톡 QR 체크인 [추가]를 터치합니다. 2 홈 화면에 카카오톡 QR 체크인 위젯이 설치됩니다. 3 이 위젯을 터치하면 개인 QR코드가 생성됩니다.

21강 문자보내기 - 말로 문자 보내기, 음성으로 문자 보내기, 카카오톡 음성 메시지 보내기

1 말로 문자 보내기

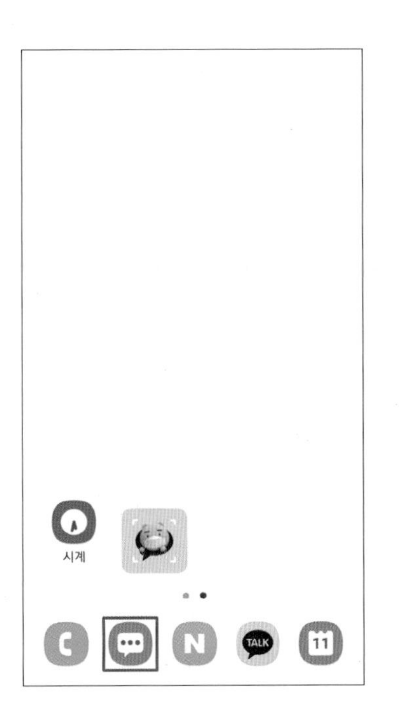

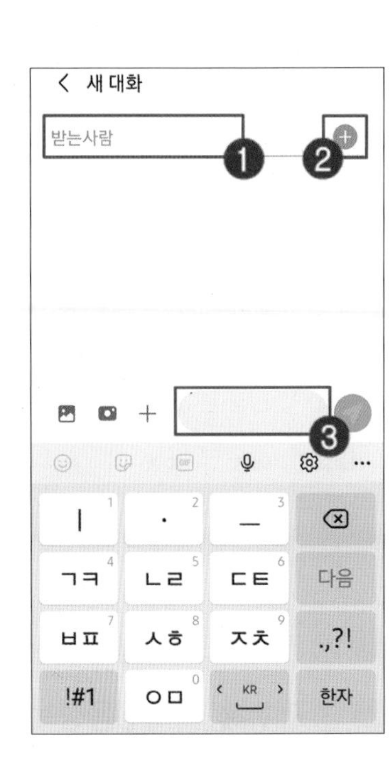

1 [메시지]를 터치합니다. 2 [대화] 말풍선을 터치합니다. 3 ① [받는 사람]을 터치하여 전화번호를 입력하거나 ② [+]를 터치하여 연락처에서 검색하여 받는 사람을 선택합니다. ③ 대화창을 터치하여 키보드가 보이게 합니다.

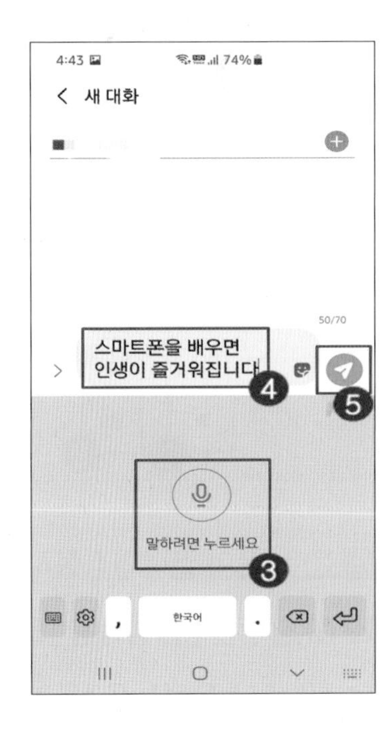

1 ① 키보드 상단 메뉴의 [마이크]를 터치합니다. 2 ② [마이크]가 파란색일 때 보낼 말을 합니다. 3 ③ 보낼 말을 다하고 [마이크] 버튼을 누르면 [일시 정지] 되면서 ④ 대화창에 음성으로 입력한 말이 [텍스트로 변환] 되어 나타납니다. ⑤ 대화창의 글을 확인하고 [보내기]를 터치하면 문자로 전송이 됩니다.

2 음성으로 문자 보내기 (인터넷이 안 되는 경우 1)

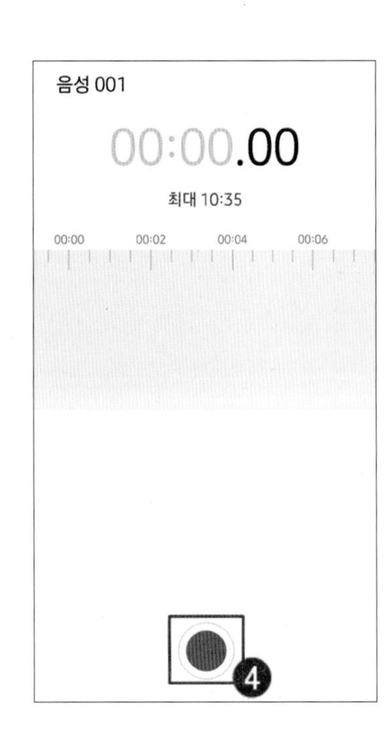

1 ① 전화번호를 입력하거나 연락처에서 [받는 사람]을 선택합니다. ② [+]를 터치합니다.

2 ③ 메뉴 중에서 [음성녹음]을 터치합니다. 3 ④ [음성녹음] 버튼을 누르고 녹음합니다.

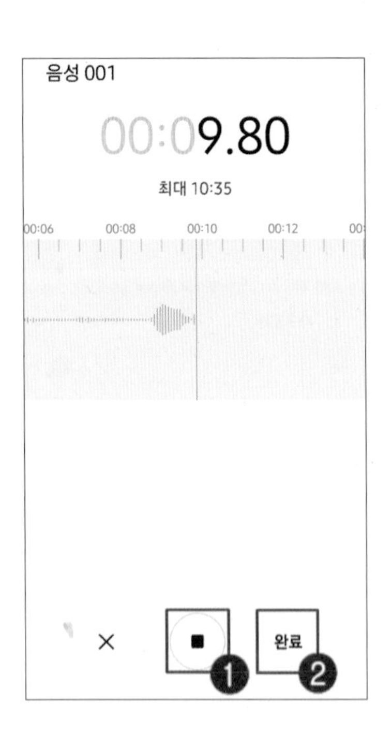

1 ① 녹음이 끝나면 [정지] 버튼을 터치하고 ② [완료] 버튼을 터치합니다.

2 ③ 첨부된 [음성녹음]을 플레이 버튼 [▶]을 터치하여 확인할 수 있으며 삭제 [-]도 가능합니다. ④ 첨부된 [음성녹음]을 보내기 합니다. 3 ⑤ [음성녹음]이 전송되었습니다.

3 빠른 음성 보내기 (인터넷이 안 되는 경우 2)

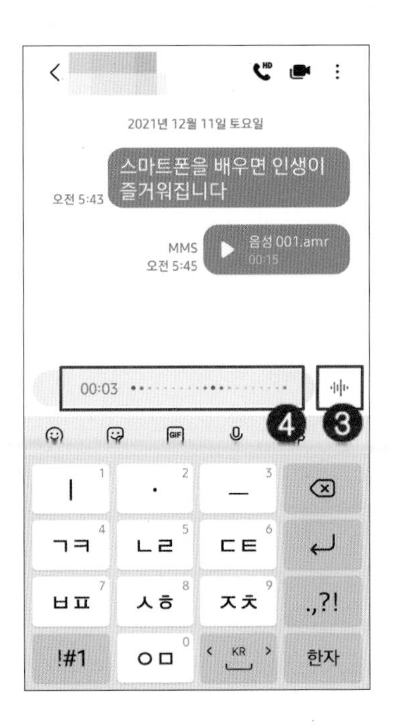

1 ① [전화번호] 입력 또는 [연락처]에서 검색하여 [받는 사람]을 입력합니다. ② 메시지 입력창 오른쪽의 [음성녹음] 버튼을 손가락을 떼지 않고 길게 누릅니다. 2 ③ [음성녹음] 버튼을 누른 상태로 녹음을 하고 녹음이 끝나면 손가락을 뗍니다. ④ 녹음하는 동안 음성을 인식하고 있습니다.
3 ⑤ 플레이 버튼 [▶]을 터치하여 녹음을 들어보고 삭제 [-] 할 수도 있습니다. ⑥ [보내기] 버튼을 터치하면 음성녹음이 전송됩니다.

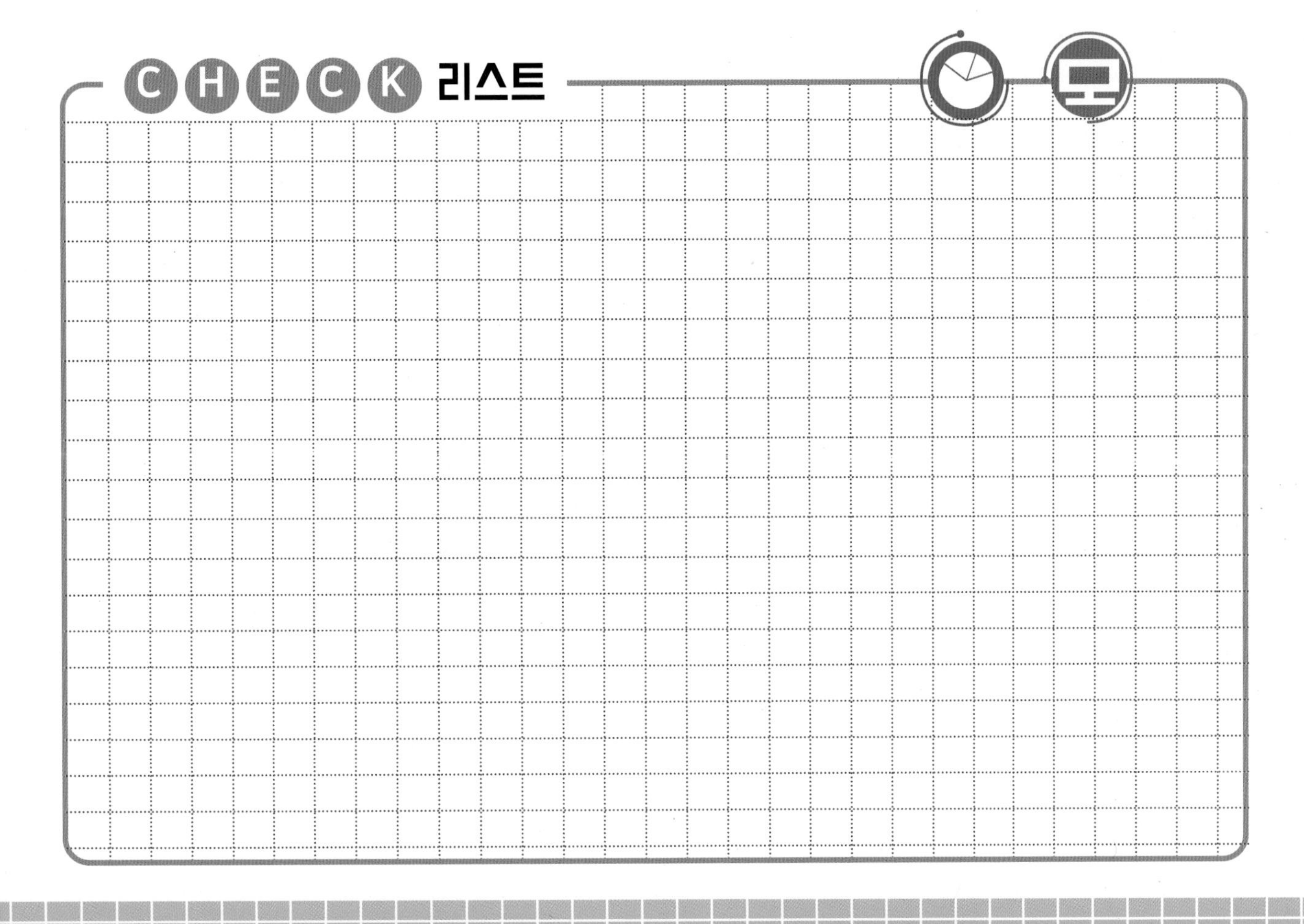

4 카카오톡 음성 메시지 보내기

1 카카오톡 빠른 음성 메시지 보내기

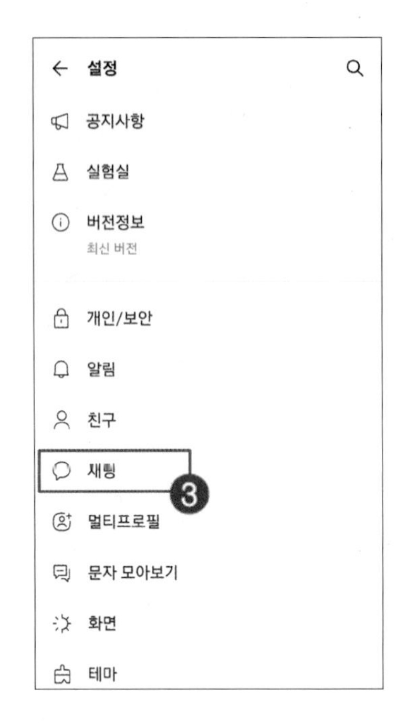

1 ① 오른쪽 상단의 [설정]을 터치합니다. ② [전체 설정]을 터치합니다. 2 ③ 설정 메뉴 중 [채팅]을 터치합니다. 3 ④ [음성녹음 간편 모드 사용]을 터치하여 활성화합니다.

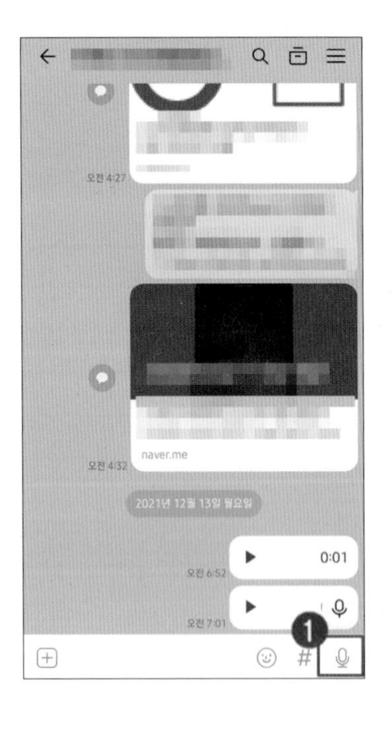

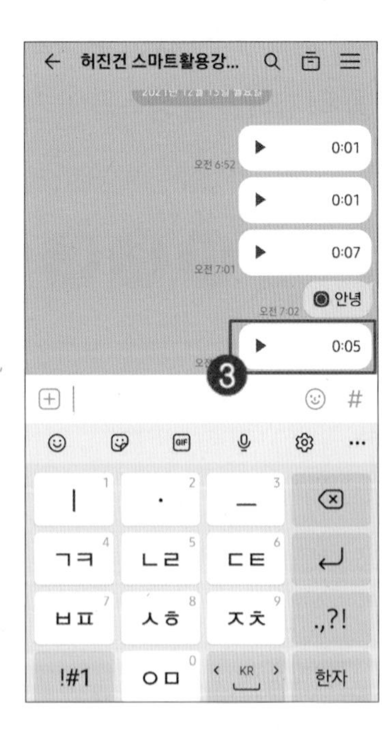

1 채팅 대화방에 들어오면 [채팅 입력창]의 오른쪽에 [마이크]가 있습니다. ① [마이크]를 길게 누릅니다. 2 ② [마이크]를 누른 상태로 보낼 [음성 메시지]를 말합니다. 3 [음성녹음]이 끝나고 [마이크]에서 손가락을 떼면 채팅방에 바로 [전송]이 됩니다. ③ 내가 보낸 [음성 메시지]를 들어볼 수 있으며 5분 안에 삭제도 가능합니다.

2 카카오톡 음성 메시지 보내기

1 ① 채팅방의 [대화 입력창] 왼쪽의 [+]를 터치합니다. 2 ② 메뉴 중 [음성 메시지] 아이콘을 터치합니다. 3 ③ [음성녹음] 버튼을 눌러 녹음을 시작합니다.

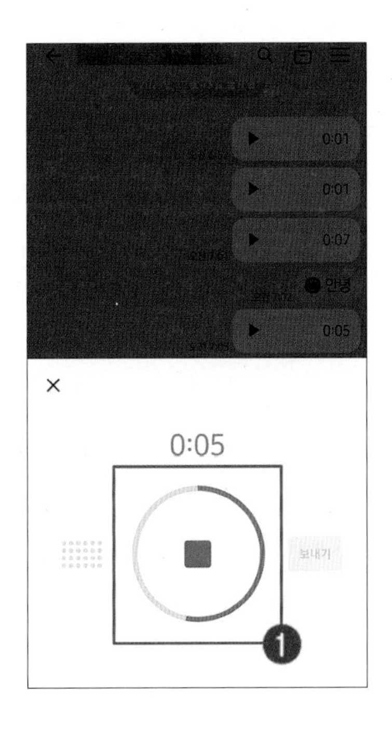

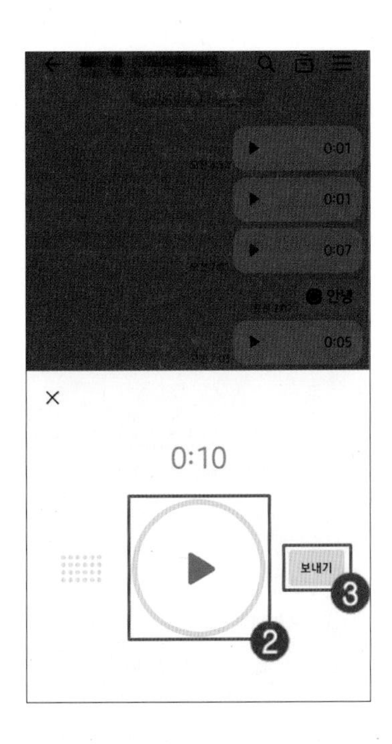

1 ① [음성녹음]을 다하면 중지 [■] 버튼을 누릅니다. 2 ② 녹음된 음성을 듣고 확인하고 ③ [보내기]를 터치하여 [음성녹음]을 전송합니다. 3 ④ 채팅방에 전송된 음성녹음을 확인합니다.

22강 카메라 설정법

❶ 카메라 설정 및 메뉴(갤럭시 노트10)

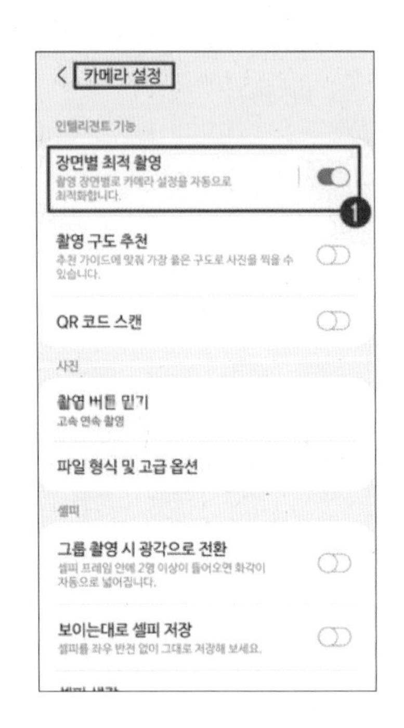

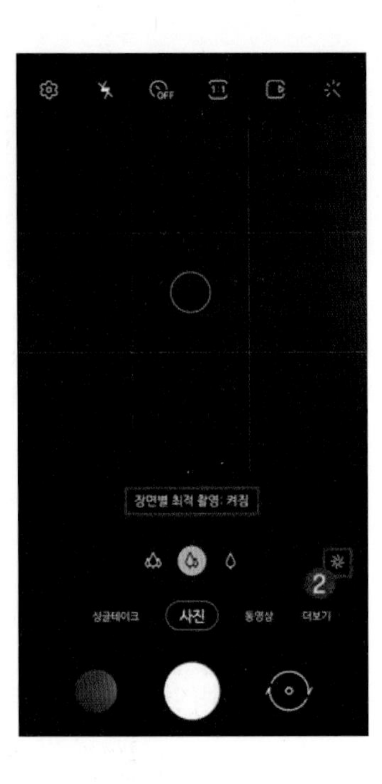

❶ [카메라 어플]을 터치합니다. ❷ ① 카메라 설정 ⚙ 에서 [장면별 최적 촬영]을 활성화합니다. ❸ ② 촬영 화면에서 피사체에 따라 [해변 건물 문서 인물 산 야경]으로 아이콘이 바뀝니다.

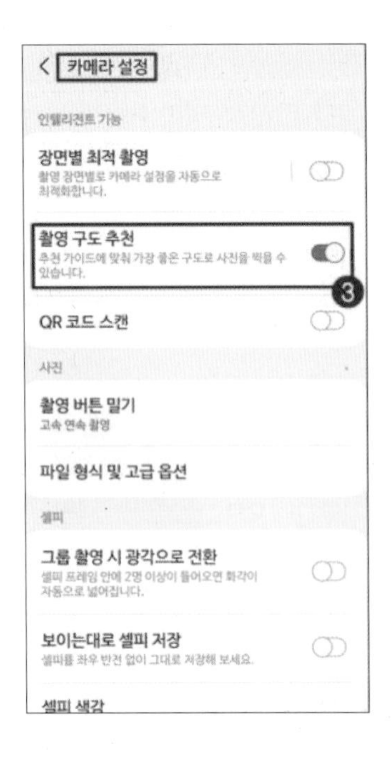

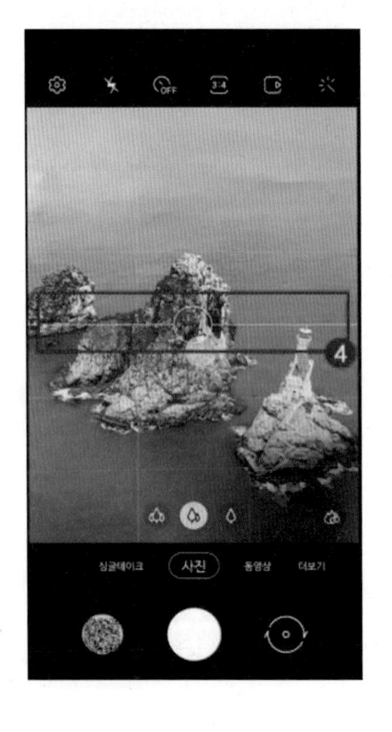

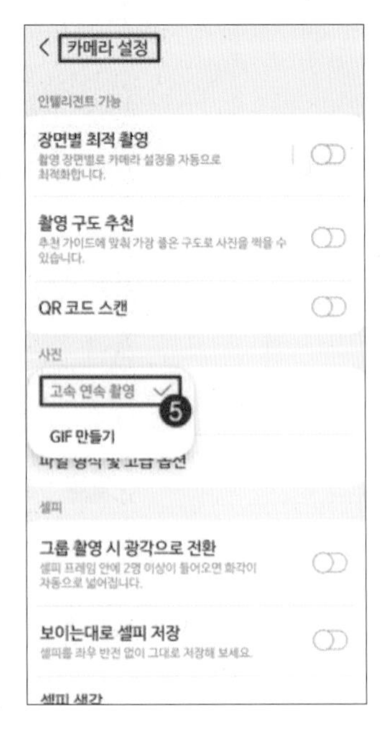

❶ ③ 카메라 설정에서 [촬영 구도 추천]을 활성화합니다. ❷ ④ 피사체가 촬영 화면 안에 보이면 [베스트 샷 구도 안내선]에 따라 촬영할 수 있습니다. ❸ ⑤ 움직이는 피사체를 연속으로 촬영할 때 사용합니다.

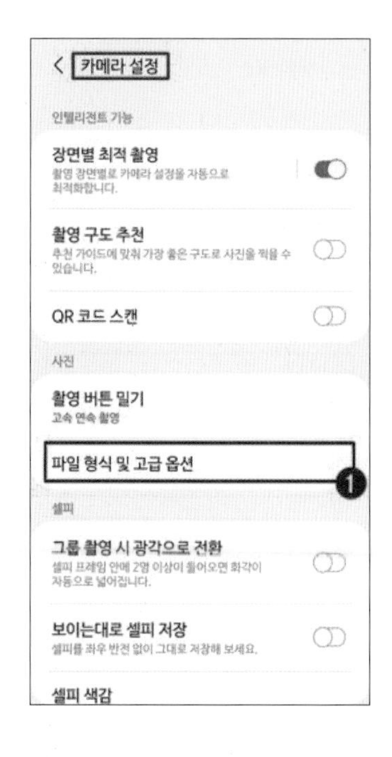

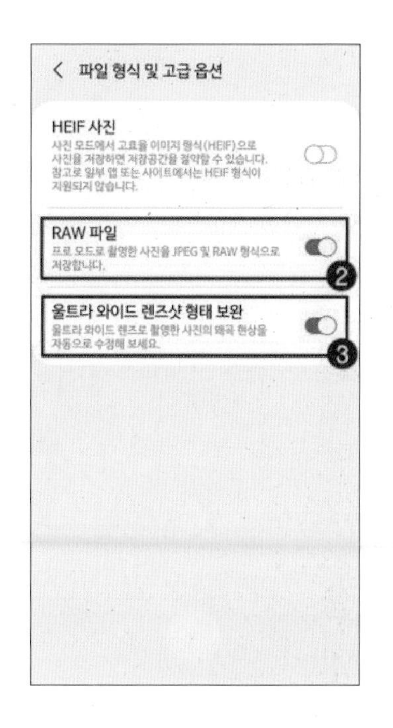

1 ① 카메라 설정에서 [파일 형식 및 고급 옵션] 메뉴를 터치합니다. 2 ② 이미지 저장을 위한 [RAW 파일 또는 JPEG 형식]을 활성화합니다. ③ [울트라 와이드 렌즈샷 형태보완]을 활성화하면 광각으로 촬영 시 발생하는 사진의 왜곡현상을 자동으로 수정합니다. 3 ④ [HDR] 기능을 자동으로 설정하면 풍부한 자연 색조의 이미지를 얻을 수 있습니다.

1 ⑤ 움직이는 대상의 촬영 시 [대상추적 AF] 기능을 활성화 합니다.

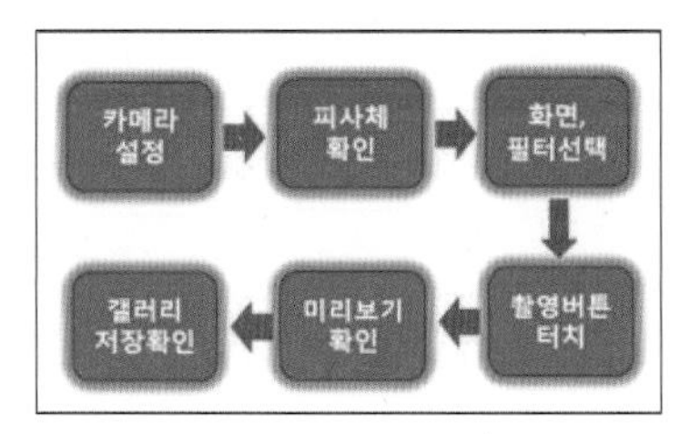

사진촬영 TIP

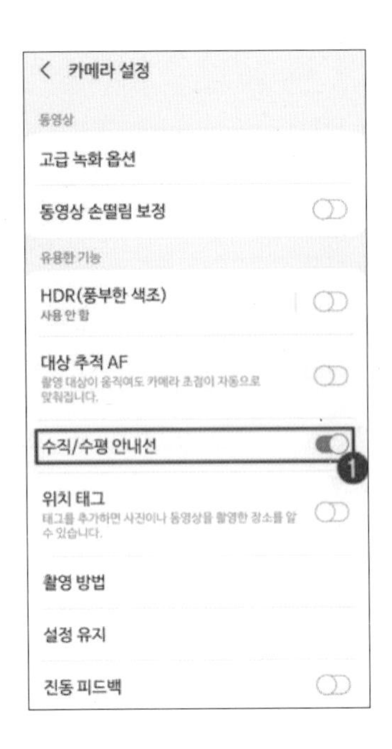

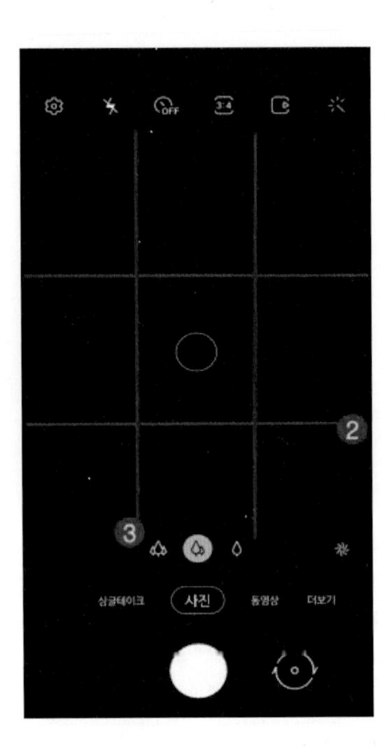

1 ① 카메라 설정의 유용한 기능 메뉴에서 [수직 / 수평 안내선]을 활성화합니다.

2 ② 수평 안내선과 ③ 수직 안내선입니다. 3 ④ 사진이나 동영상 촬영한 장소를 기록하기 위해 [위치 태그]를 활성화합니다.

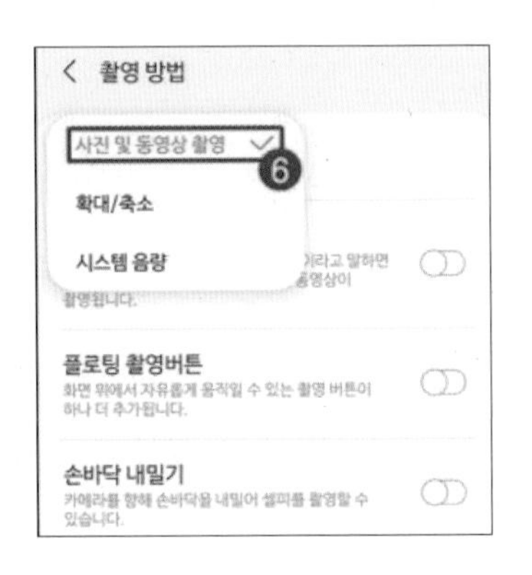

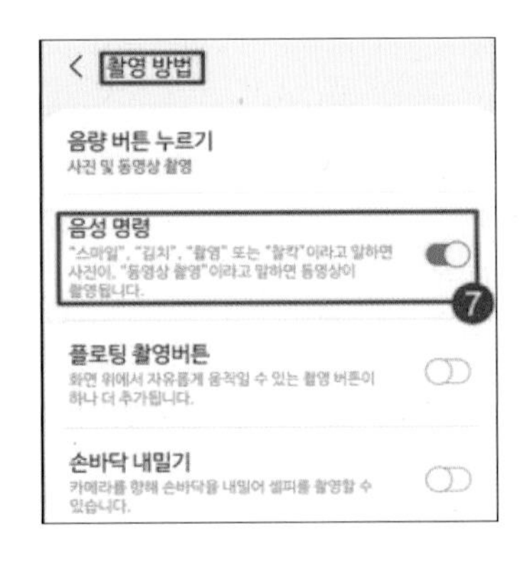

1 ⑤ 위치 아이콘이 활성화됩니다. 2 ⑥ 카메라 설정의 촬영 방법에서 [음량 버튼 누르기]를 터치하고 사진 및 동영상 촬영 메뉴를 선택합니다. 확대, 축소 메뉴나 시스템 음량을 선택할 수 있습니다.

3 ⑦ [음성 명령]을 활성화하면 "스마일", "김치", " 촬영 "이라고 말하면 촬영됩니다.

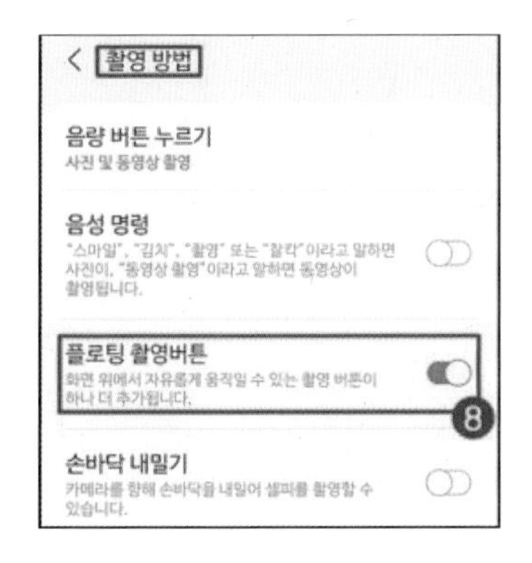

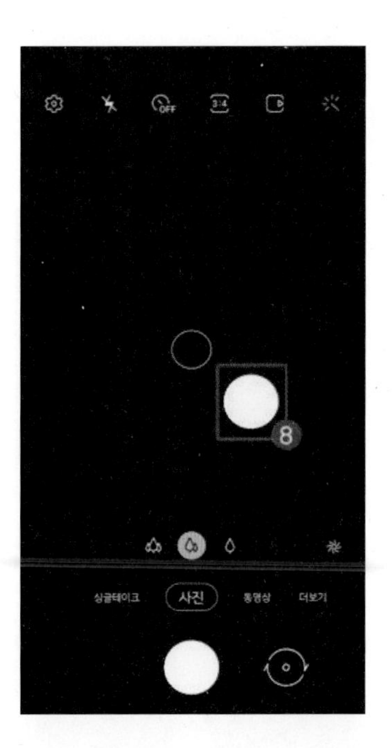

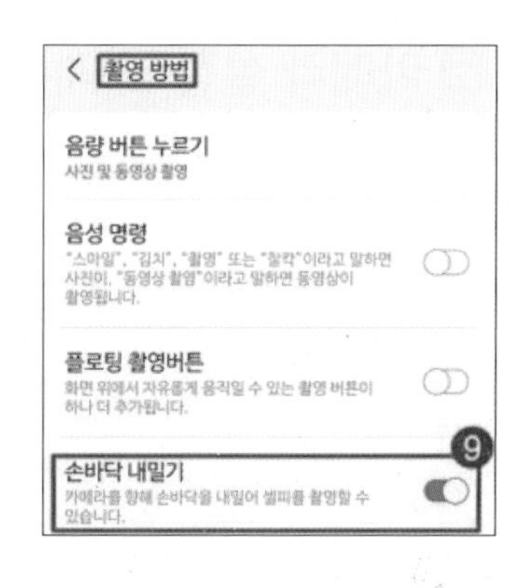

1 ⑧ 촬영방법에서 [플로팅 촬영버튼]을 활성화하면 두 번째 사진과 같이 또 하나의 촬영 버튼이 생깁니다. 2 ⑧ 촬영하고자 하는 피사체의 초점을 좀 더 잘 맞출 수 있는 버튼입니다.
3 ⑨ 촬영 방법에서 [손바닥 내밀기]를 활성화할 수도 있습니다.

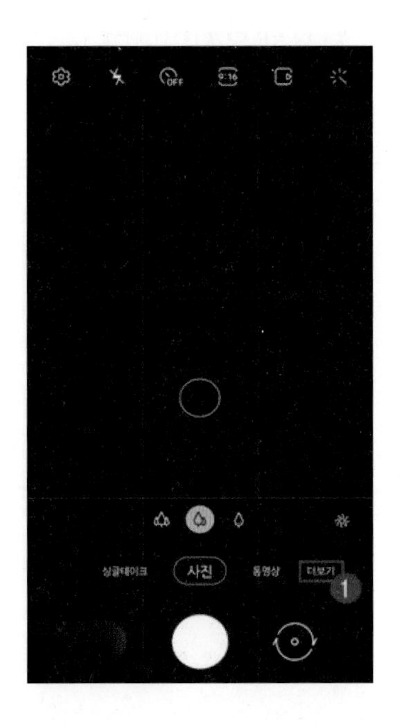

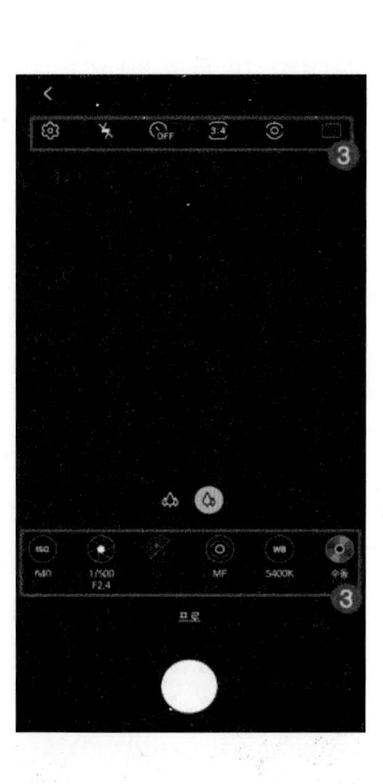

1 ① 카메라 메인 화면에서 [더보기]를 터치하면 2 사진 촬영 [프로] 버전을 선택할 수 있습니다.
3 ③에서 보여지는 메뉴들을 설정하여 촬영하면 더 좋은 결과물을 얻을 수 있습니다.

2 카메라 설정 및 메뉴(더보기)

1 파노라마 사진 / 음식 사진 촬영하기

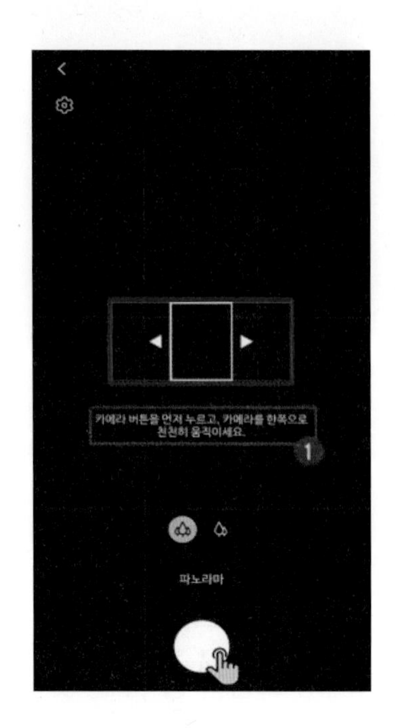

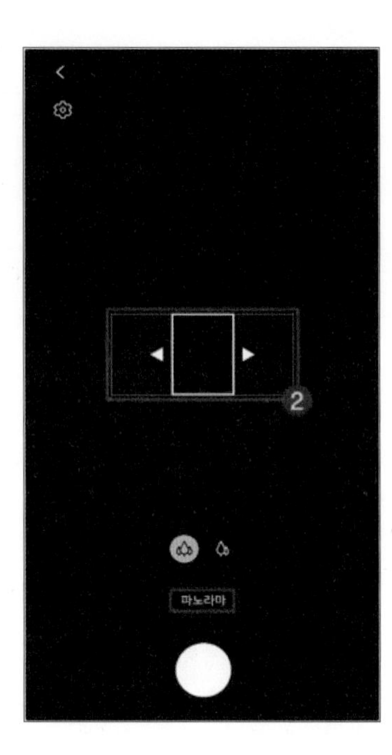

1 카메라 더보기 화면에서 [파노라마] 아이콘을 터치합니다. 2 ① 파노라마 사진은 넓은 풍경을 촬영할 때 사용합니다. 카메라 촬영 버튼을 누르고, 카메라를 한쪽 방향으로 천천히 움직입니다. 3 ② 파노라마 사진은 360도를 촬영할 수 있습니다.

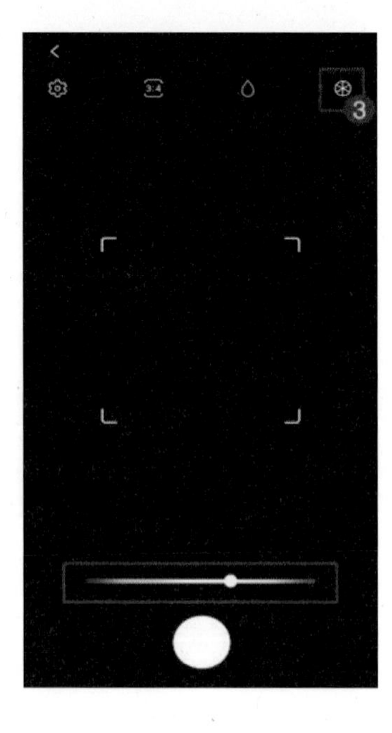

1 ① 카메라 더보기 화면에서 [음식] 아이콘을 터치합니다. 2 ② 화면 오른쪽 상단의 [블러 기능]을 터치하면 [동그라미 영역]이 표시됩니다. 음식사진이 돋보이게 촬영할 수 있습니다. 3 ③ 음식 사진을 촬영할 때 [채도]를 조절할 수 있습니다.

2 야간사진 촬영하기 / 셀카, 엣지 화면

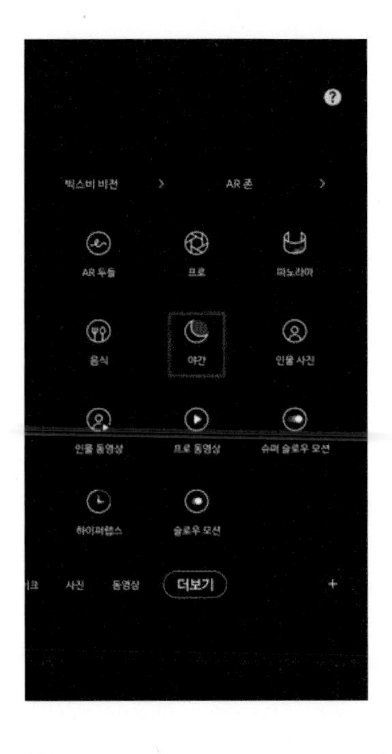

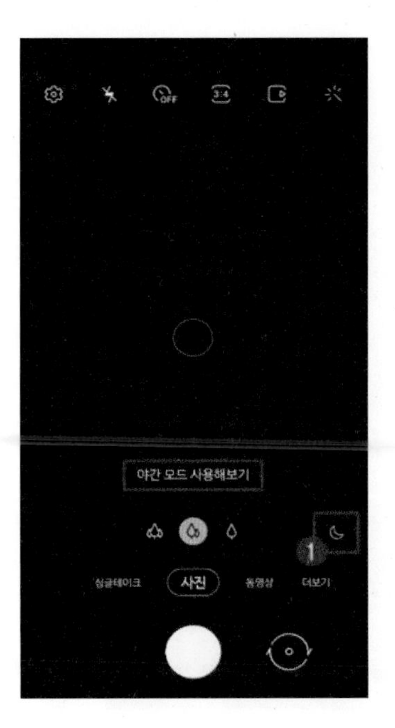

1 어두운 곳이나, 야간에 촬영 할 때는 카메라 더보기 화면에서 [야간 모드]를 터치합니다.

2 ① 야간 모드를 사용하면 밝게 촬영된 이미지를 얻을 수 있습니다.

1 ② [셀카를 촬영할 때]를 터치합니다. 2 ③ [셀피 색감]을 원하는 대로(차갑게, 따뜻하게) 설정 할 수 있습니다. 3 ④ 오른쪽으로 화면을 밀면 [카메라]아이콘이 보입니다. 간단하게 [엣지 화면]에서도 사진 촬영을 할 수 있습니다.

3 인물사진 촬영하기

1 ① 카메라 더보기 화면에서 [인물 사진]을 터치합니다. 2 피사체인 인물 주변을 뽀사시하게 하는 [블러 기능]입니다. 3 ③ 인물 주변을 빙글빙글 돌려주는 [스핀 기능]입니다.

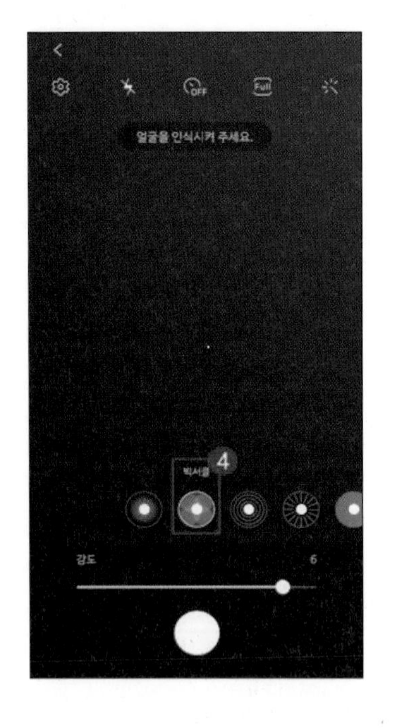

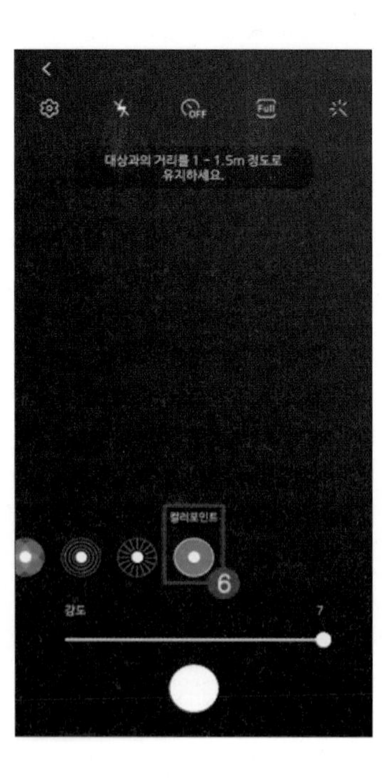

1 ④ 인물 주변이 몽환적인 느낌이 되는 [빅서클 기능]입니다. 2 ⑤ 인물을 클로즈업 할 수 있는 [줌 기능]입니다. 3 ⑥ 피사체 인물 주변 모두를 흑백으로, 인물만 컬러로 만드는 [컬러포인트 기능] 입니다.

4 프로 동영상 / 일반 동영상 촬영하기

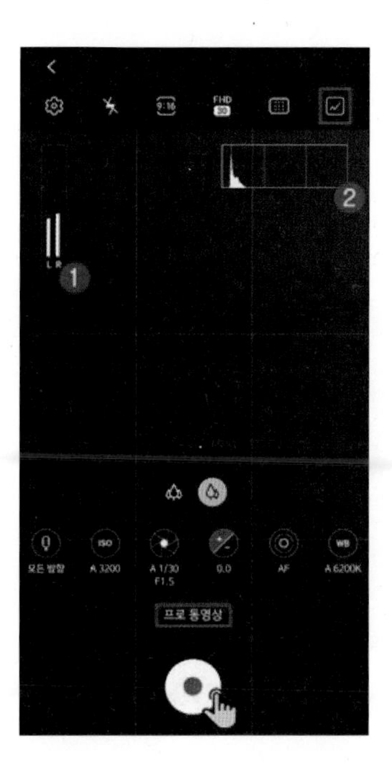

1 [프로 동영상] 촬영은 ① 좌우 입력되는 음량과 ② 피사체의 촬영 히스토그램 확인도 가능합니다. 2 ③ [일반 동영상] 촬영을 위해 셔터를 터치합니다. 3 ④ 동영상을 찍을 때 녹화되는 시간만 확인할 수 있습니다. ⑤ 동영상 촬영을 중지할 수 있습니다.

5 싱글테이크 / 슈퍼 슬로우 모션 / 하이퍼랩스

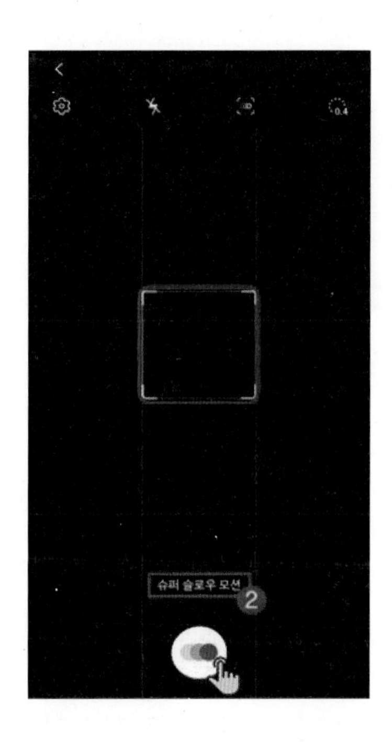

1 ① [싱글테이크] 기능은 한 번의 촬영(설정한 5초-15초 동안)으로 다양한 결과물을 얻을 수 있습니다. 2 ② [슈퍼 슬로우 모션] 기능은 점프샷 등 역동적인 사진을 느리게 보이게 할 때 사용합니다. 3 ③ [하이퍼랩스] 기능은 결과물을 빠르게 압축하여 보여줍니다.

3 카메라 설정 및 메뉴(갤럭시 노트10)

1 화면크기와 사진의 관계

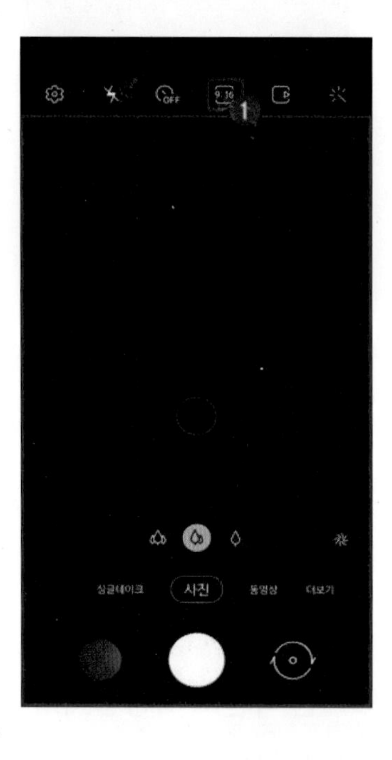

16:9 화면

피사체에 따라 화면크기를 설정합니다.

1 ① 풍경사진인 경우는 [9:16]이 아닌 [16:9] 화면으로 촬영합니다.

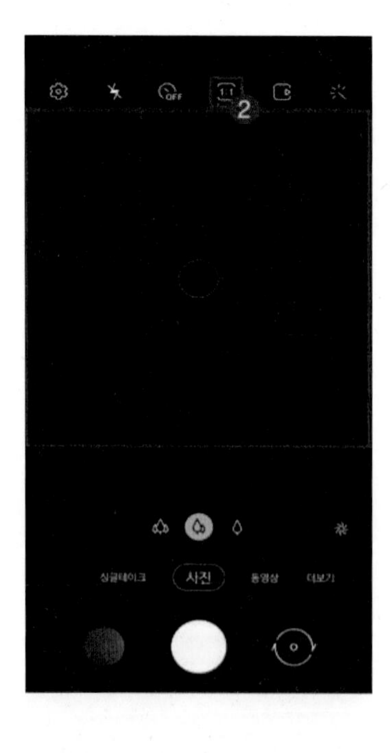

2 ② [1:1 화면]은 음식 사진이나 인스타그램 용으로 촬영합니다.

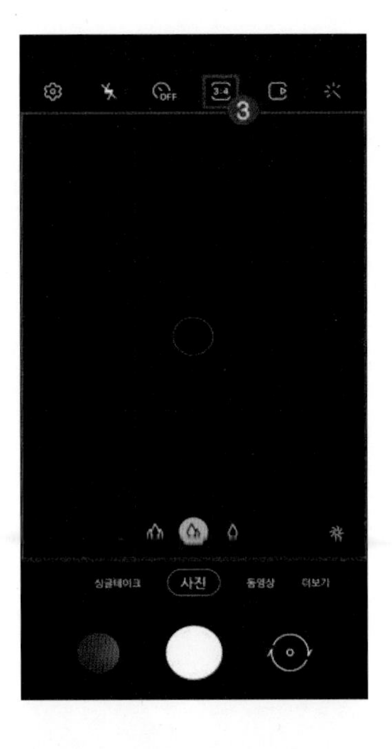

3 ③ 인물을 촬영할 때에는 [3:4 또는 4:3화면]을 사용합니다.

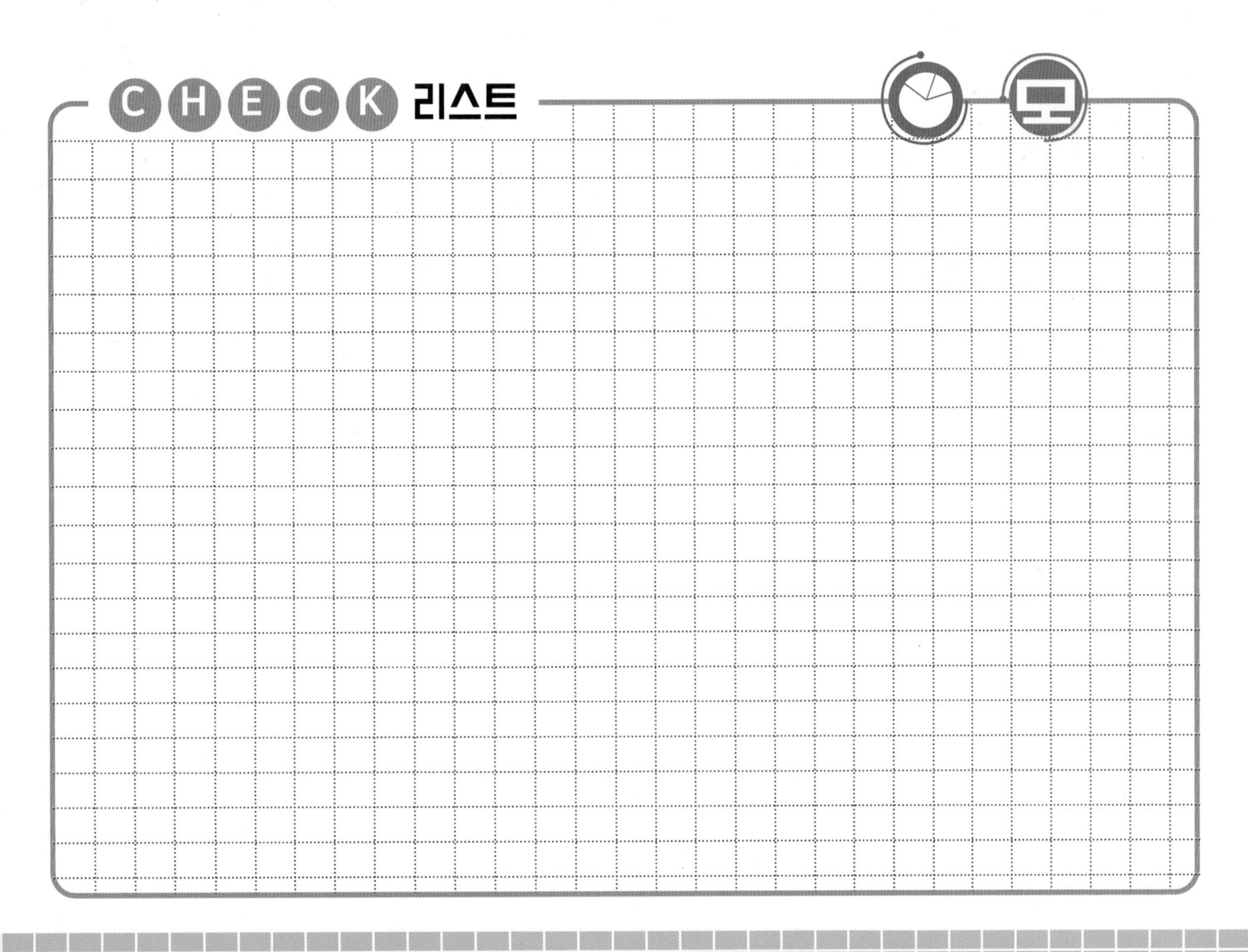

2 사진의 색감을 결정(수동으로 설정할 때)하는 기능들

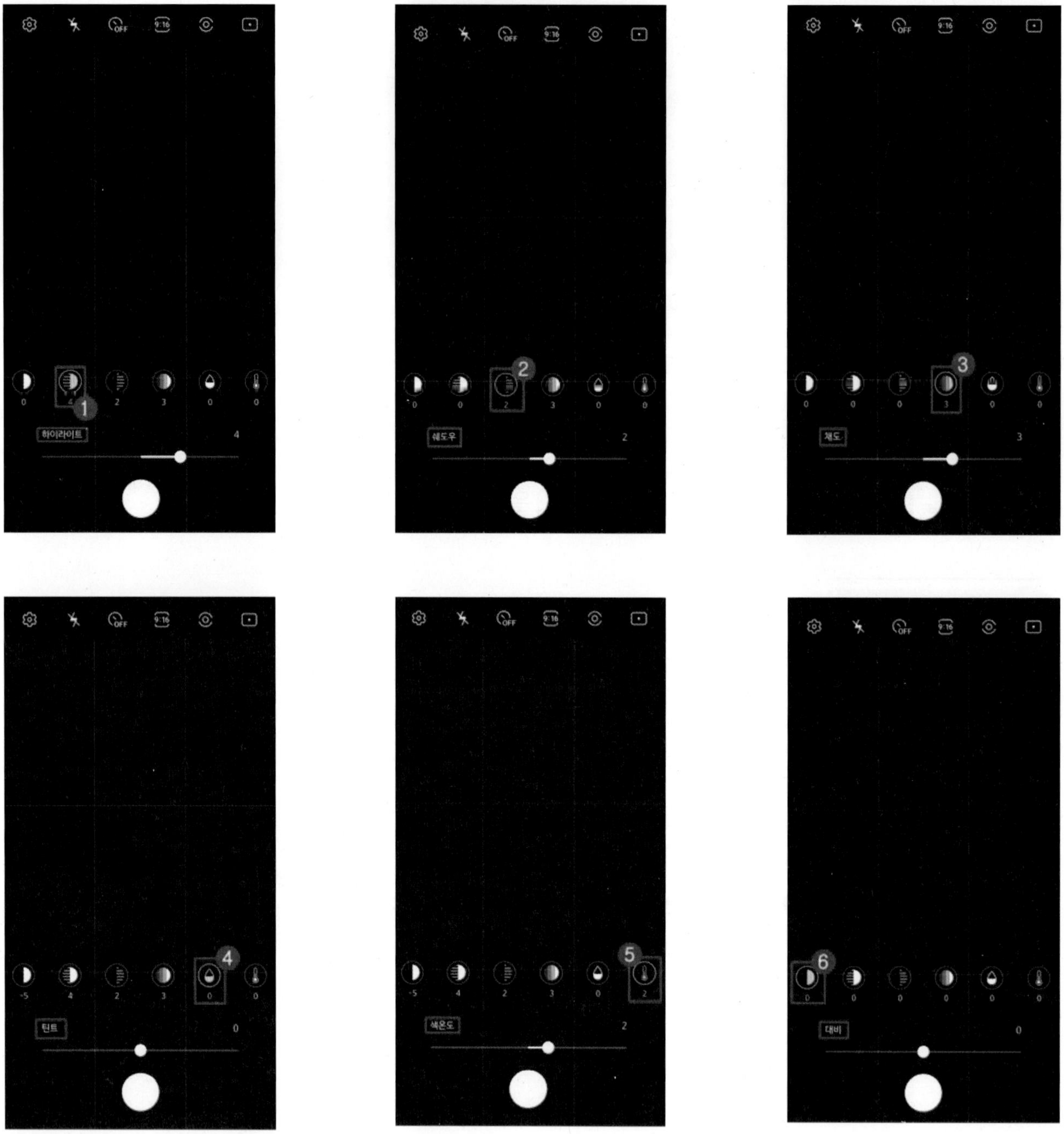

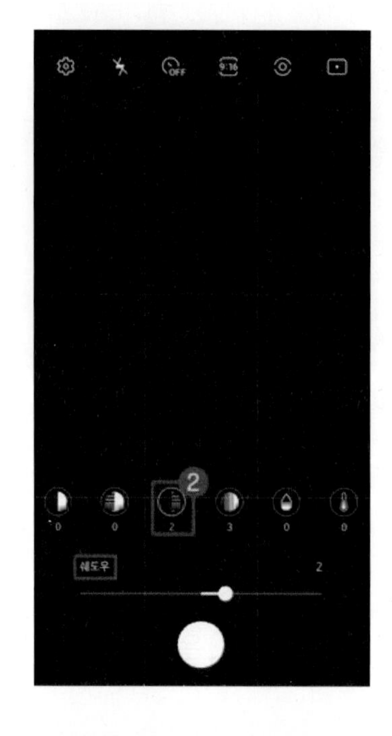

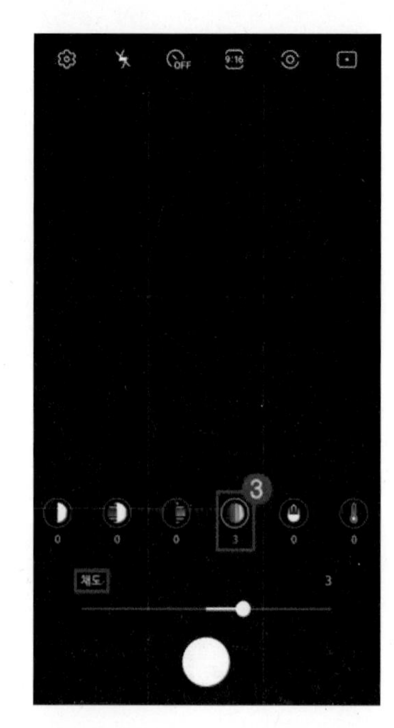

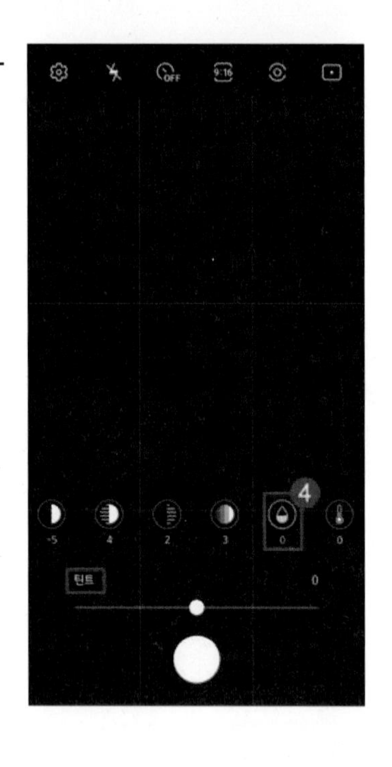

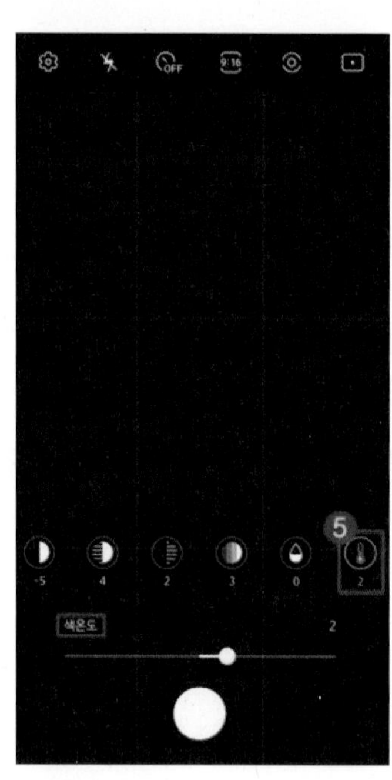

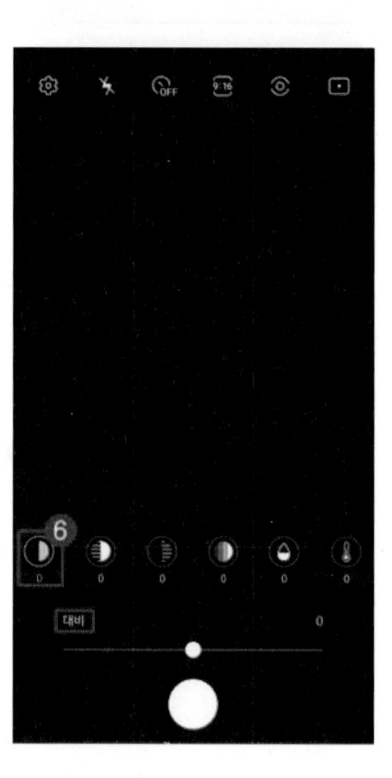

1 ① [하이라이트], 2 ② [섀도우], 3 ③ [채도], 4 ④ [틴트], 5 ⑤ [색온도], 6 ⑥ [대비]는 전체적인 사진의 색감을 설정합니다.

3 초점기능 설정하기

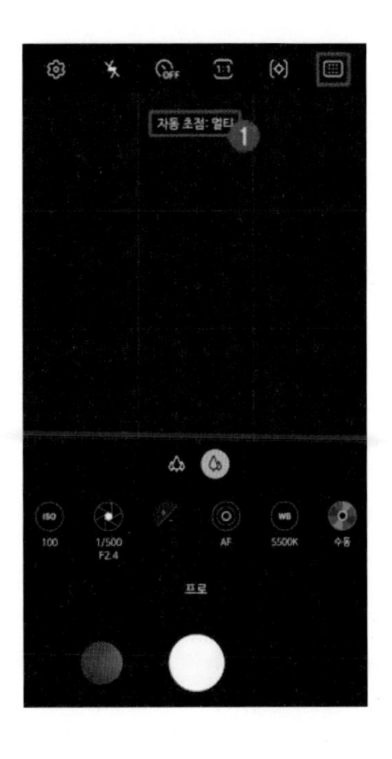

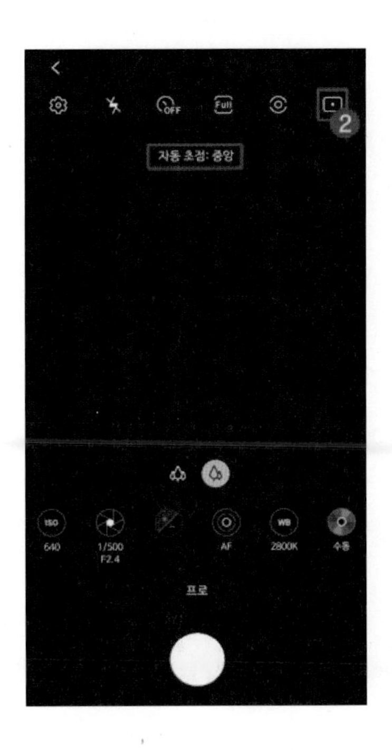

1 ① 피사체에 따라 [멀티초점], 2 ② [중앙 초점]을 활용하면 좀 더 고퀄리티의 이미지를 얻을 수 있습니다.

4 측광(화면에 들어오는 빛의 양) 설정하기

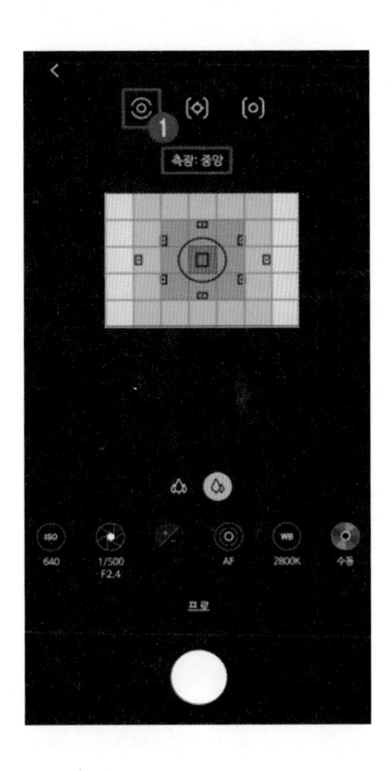

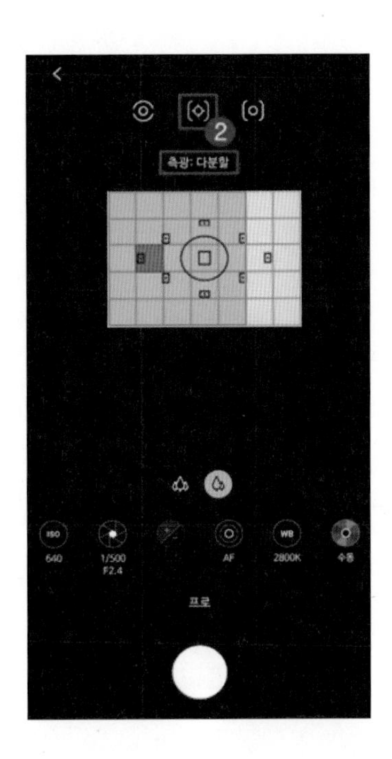

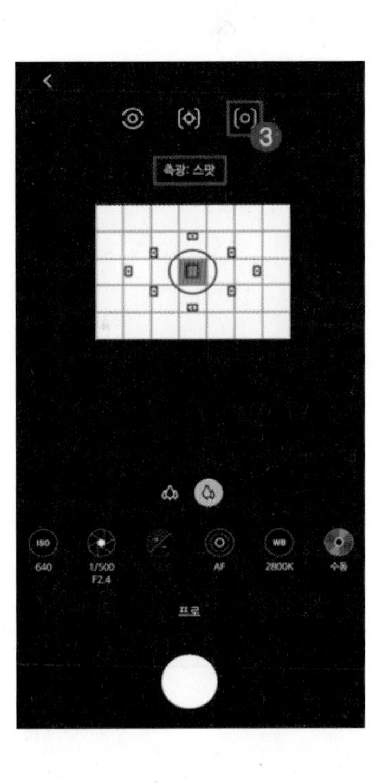

1 ① [중앙 측광]은 중앙을 기준으로 주변의 일정한 빛의 양을 측징합니다. 2 ② 화면 전체의 빛을 측정한 뒤 평균값을 반영하는 [다분할 측정]입니다. 3 ③ [스팟 측광]은 중앙 부분의 빛만 측정합니다.

5 필터 기능 설정하기

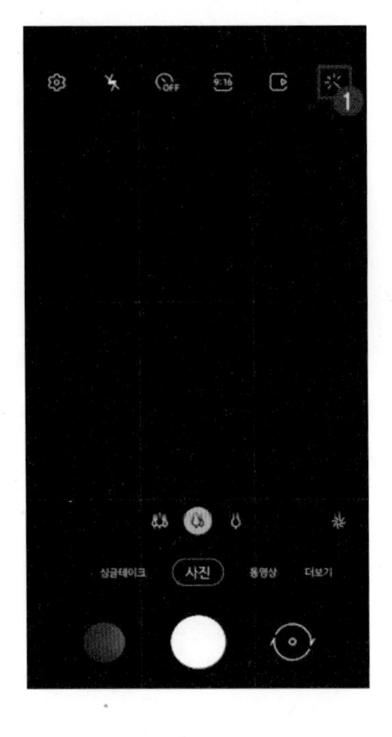

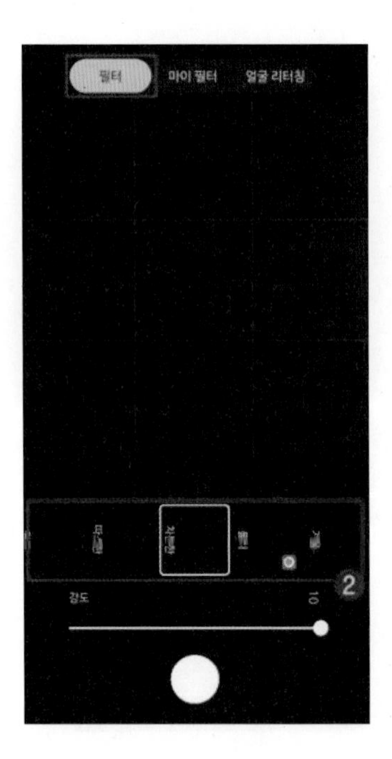

1 ① [필터 기능]을 터치합니다. 2 ② 필터 [설정바]를 오른쪽으로 움직이면 차가운 느낌의 컬러로, 왼쪽은 따뜻한 느낌으로 변합니다. 3 ③ [마이필터]는 미리 정해놓은 필터를 적용할 수 있습니다.

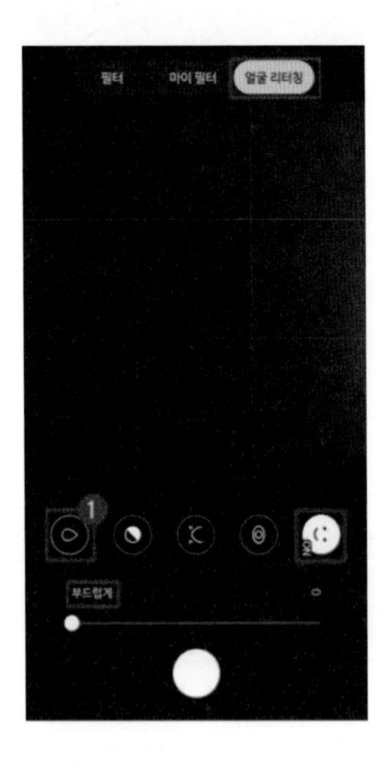

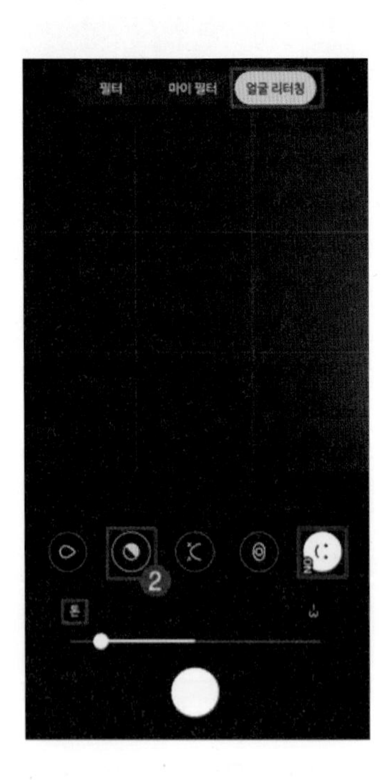

1 필터 기능 중의 하나인 [얼굴 리터칭]은 ① 얼굴을 부드럽게 할 수 있고 2 ② [피부톤] 을 원하는 대로 조절하며 3 ③ [V라인]을 만들고 ④ [눈을 크게] 수정할 수 있습니다.

6 프로 버전 수동으로 설정하기

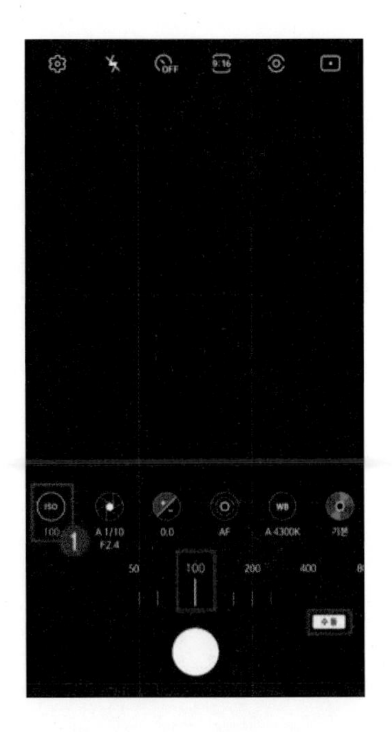

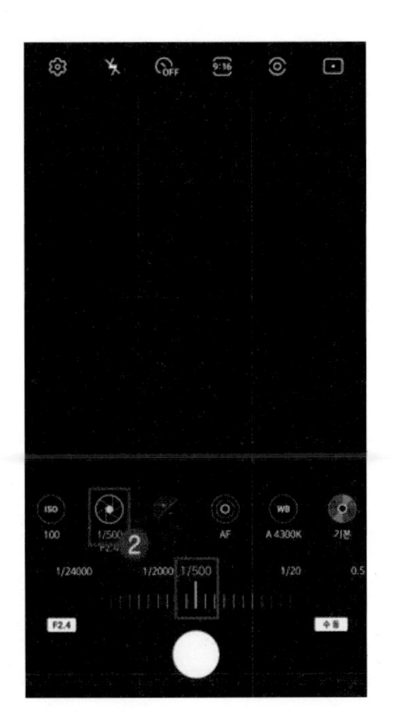

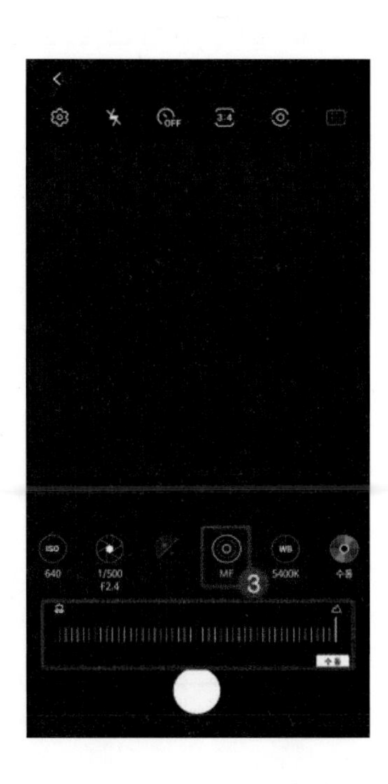

1 ① [ISO감도]는 스스로 빛에 반응하는 정도를 나타내는데, ISO감도 수치가 높을 때는 사진이 밝아지나, 화면은 거칠어집니다. 2 ② [셔터스피드] 설정은 피사체 움직임의 속도에 따라 각각 다릅니다. 3 ③ 수동으로 피사체의 [초첨 거리]를 설정합니다.

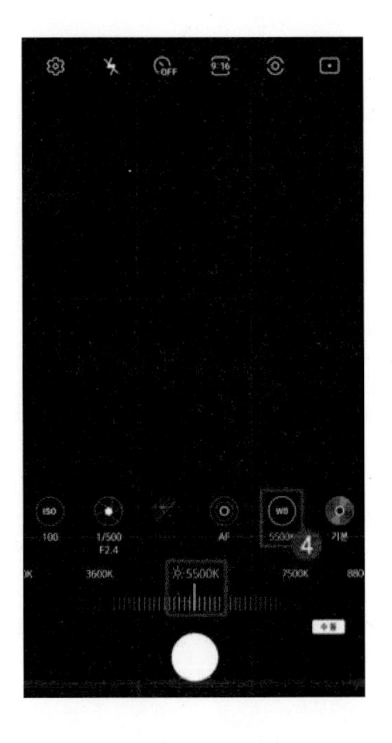

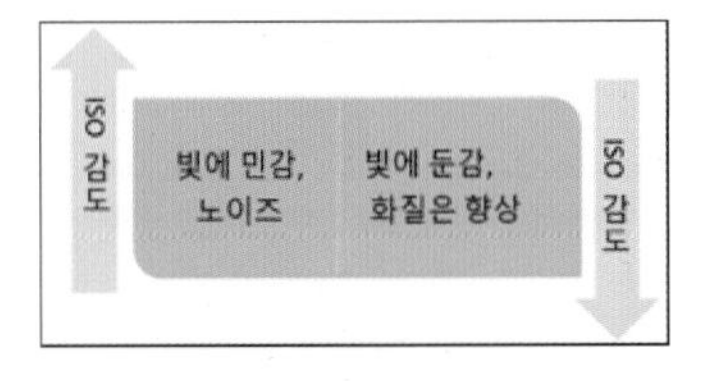

1 ④ [화이트밸런스] 기능은 자연스러운 사진의 색을 얻을 수 있게 합니다. 스마트폰 카메라에서는 2,300K에서 10,000K(캘빈도)까지 적용됩니다. 수치가 높을수록 푸른색을, 낮을수록 붉은색을 나타냅니다. 참고로 맑은 날 낮의 태양은 5,500K입니다.

4 사진편집 포토에디터

1 갤러리 사진 편집하기 - 자르기 / 필터

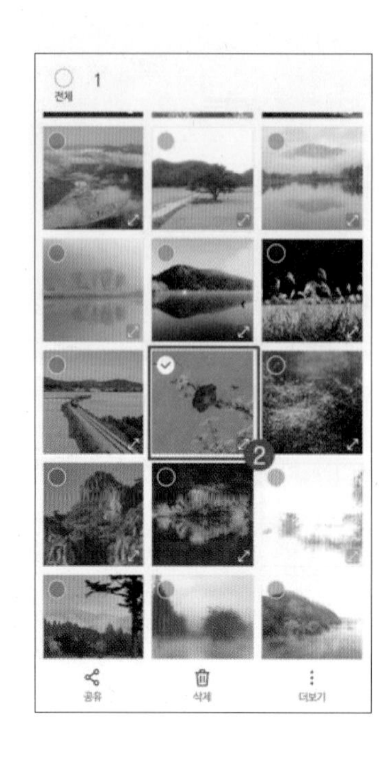

1 ① 포토에디터는 [갤러리]에서 사진을 편집할 수 있습니다. 2 ② 갤러리에서 [사진]을 선택합니다. 3 ③ 원하는 사진을 [자르기] 할 수 있습니다.

1 ④ [필터 기능]을 터치합니다. 2 다양한 색감의 사진은 물론 흑백사진으로 바꿀 수도 있습니다.
3 ⑤ [마이필터] 나만의 필터로 사진의 색감을 편집할 수 있는 기능입니다.

2 갤러리 사진 편집하기 - 사진의 명암

1 ① 사진의 [밝기], 2 ② [노출], 3 ③ [대비]를 편집할 수 있습니다.

1 ④ [하이라이트], 2 ⑤ [그림자]의 강도를 편집할 수 있는 기능입니다.

3 갤러리 사진 편집하기 - 스티커 추가

1 ① 갤러리 하단의 [스티커] 버튼을 터치합니다. 2 ② 여러 가지 다양한 [스티커]가 보입니다.

3 ③ 원하는 [스티커]를 추가하고 저장합니다.

4 갤러리 사진 편집하기 - 텍스트 추가

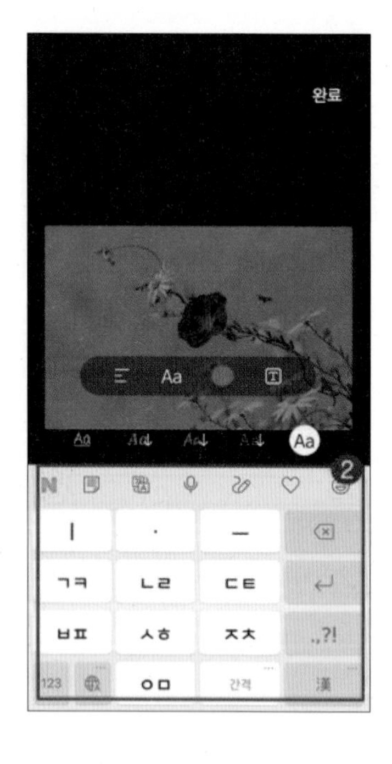

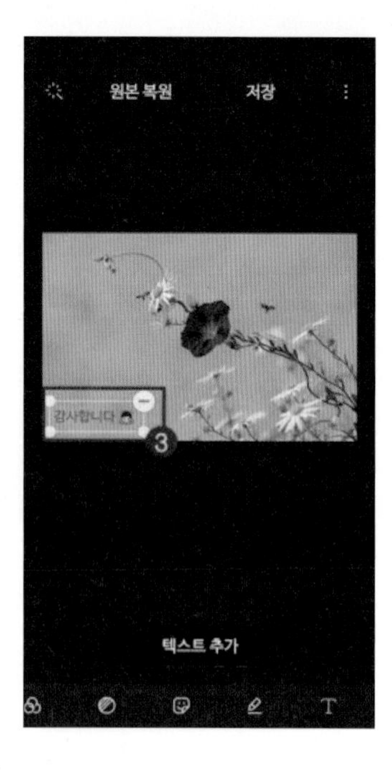

1 ① [텍스트 추가]를 터치합니다. 2 ② 글자판과 커서가 보이면 텍스트를 입력합니다.

3 ③ [텍스트]가 잘 들어갔는지 확인 후 저장합니다.

23강 갤러리에서 사진 및 동영상 폴더 만들고 관리하기

1 갤러리 관리하기 — 앨범 만들기

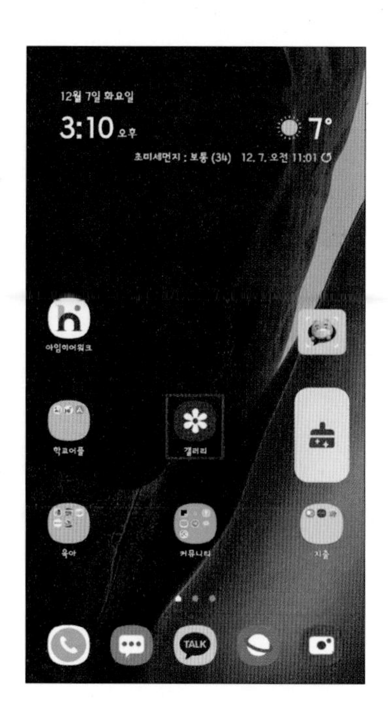

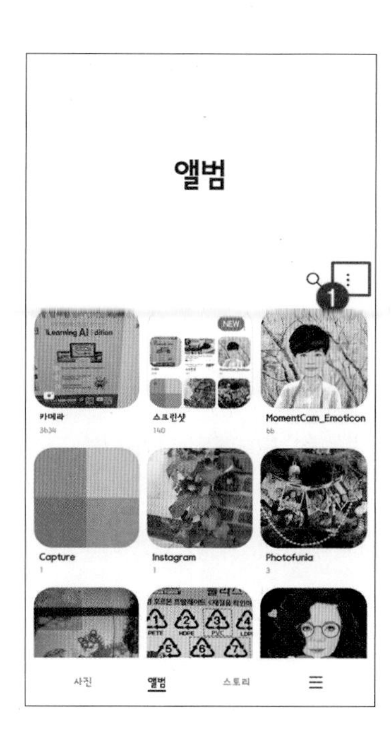

1 ① [갤러리]를 터치합니다. 2 하단에 있는 앨범을 터치 후 ① 오른쪽 [⋮] 을 터치합니다.
3 메뉴에서 ① [앨범 만들기]를 터치합니다.

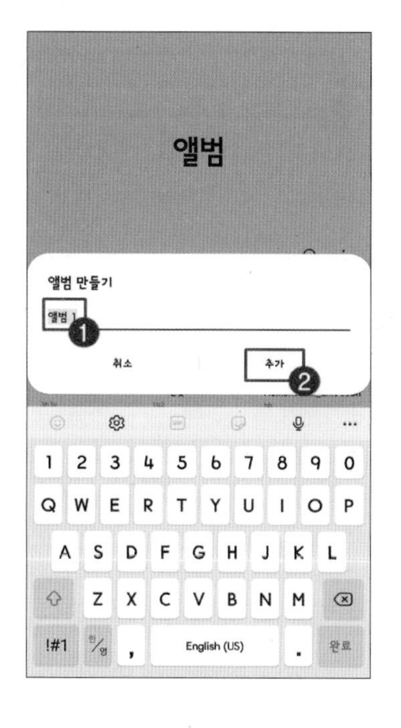

1 앨범 만들기 ① 앨범 [이름]을 입력합니다. ② [추가] 버튼을 터치합니다. 2 앨범1이 추가되었습니다.

24강 갤러리 휴지통 기능, 즐겨찾기

1 갤러리 휴지통 기능

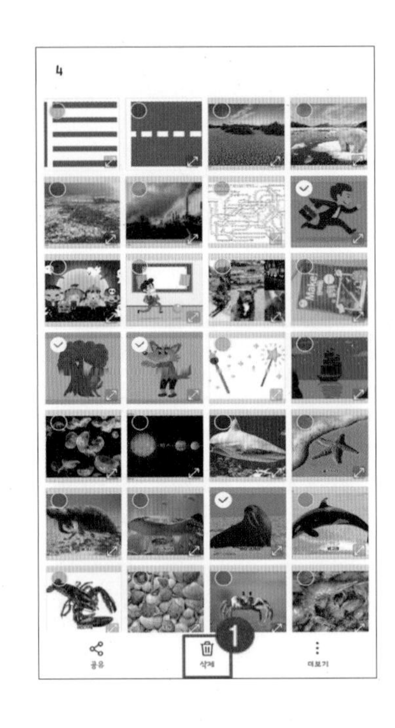

1 사진목록에서 삭제할 사진을 선택합니다. 2 ① 사진을 선택 후 [삭제]를 터치합니다.

3 ② 사진 삭제가 맞는지 창이 뜹니다. 여기서 [휴지통으로 이동]을 다시 한번 터치합니다.

1 사진목록에서 사진이 삭제되었습니다. 삭제된 사진을 보려면 ③ [≡]을 터치합니다.

2 ④ [휴지통]을 터치합니다. 3 ⑤ 휴지통목록에 삭제한 사진이 보입니다.

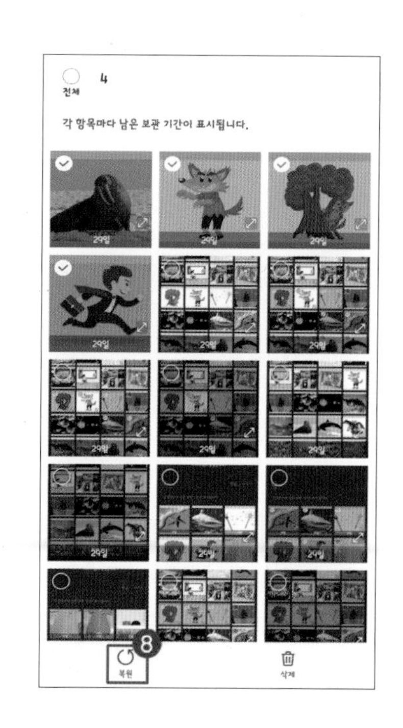

1 사진을 실수로 삭제하였을 경우 ⑥ 사진목록에서 [≡]을 터치합니다. 2 ⑦ [휴지통]을 터치합니다. 3 ⑧ 사진을 선택하고 [복원]을 터치합니다.

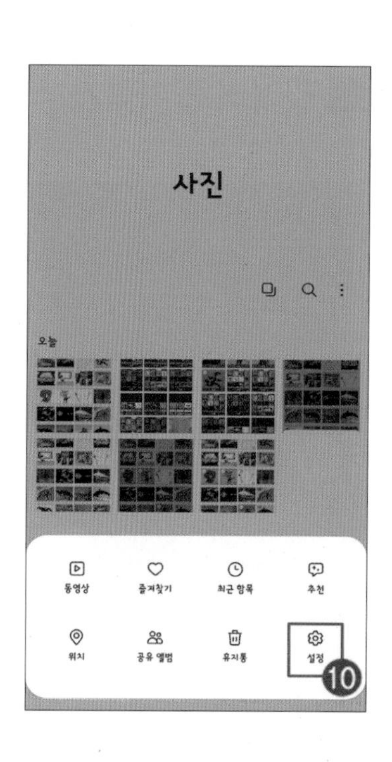

1 복원한 사진은 목록에 다시 나타납니다. 2 ⑨ 삭제한 사진 및 동영상을 복원하기 위해서는 [≡]을 터치합니다. 3 ⑩ [설정]을 터치합니다.

1 갤러리 설정 목록에서 휴지통을 [체크]합니다. 휴지통을 활성화하면 사진 및 동영상이 30일 동안 보관됩니다. 휴지통을 비활성화일 경우 사진 및 동영상은 바로 삭제됩니다.

2 갤러리 즐겨찾기

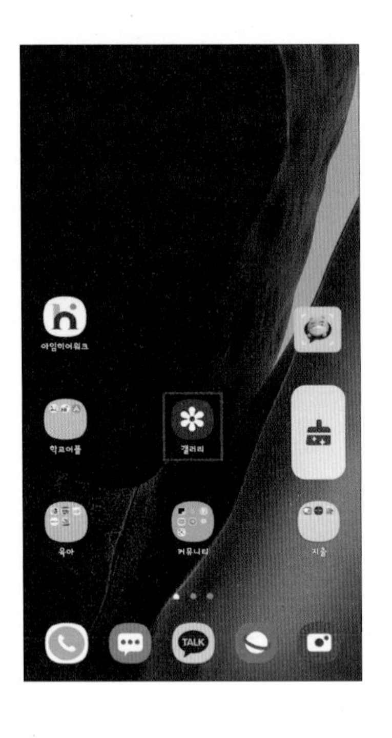

1 [갤러리]를 터치합니다. 2 ① 사진목록에서 즐겨찾기 할 사진을 선택합니다. 3 ① 사진 하단에 [♡]를 터치합니다.

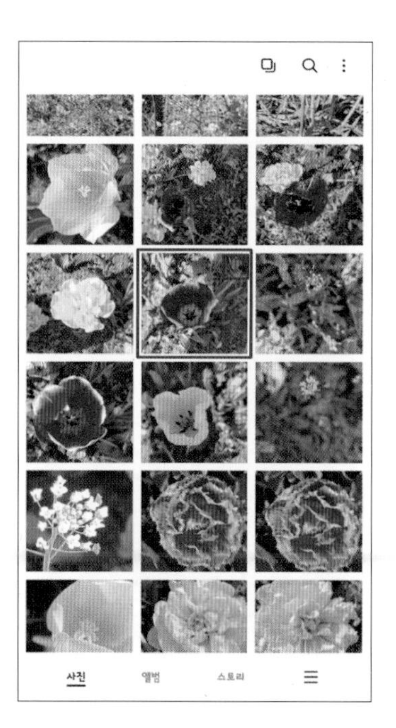

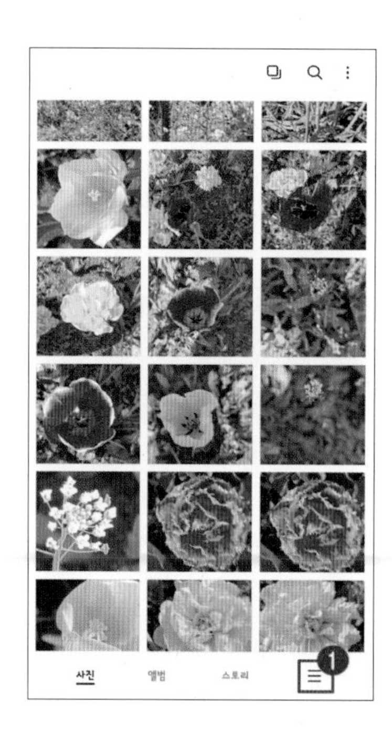

1 하트모양이 빨간색으로 바뀌었습니다. 2 사진목록에서 보면 사진 위에 빨간색 하트가 나타납니다. 3 ① [≡]을 터치합니다.

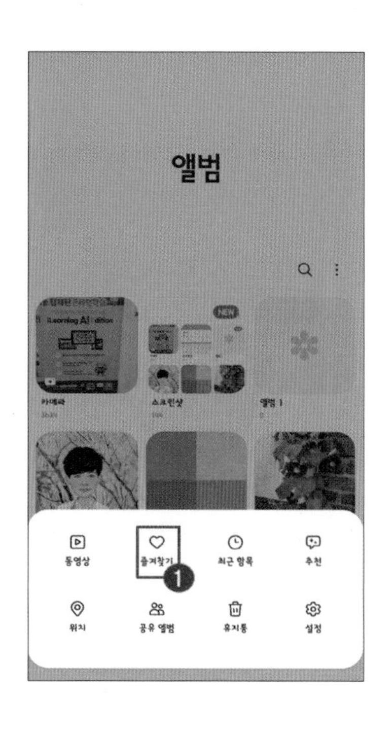

1 ⑦ [즐겨찾기]를 터치합니다. 2 ⑧ 즐겨찾기를 선택한 사진을 볼 수 있습니다.

25강 지메일 계정 설정하기

1 구글 계정 만들기

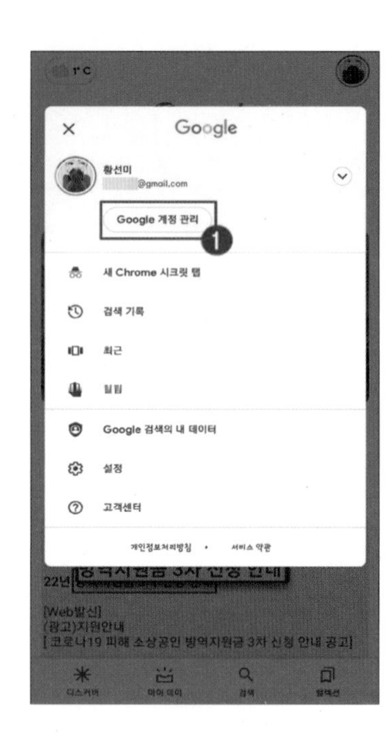

1 ① [구글 앱]을 찾아 실행합니다. 2 ② [본인 사진] 또는 [로그인]을 터치합니다.

3 ③ [Google 계정관리]를 터치합니다.

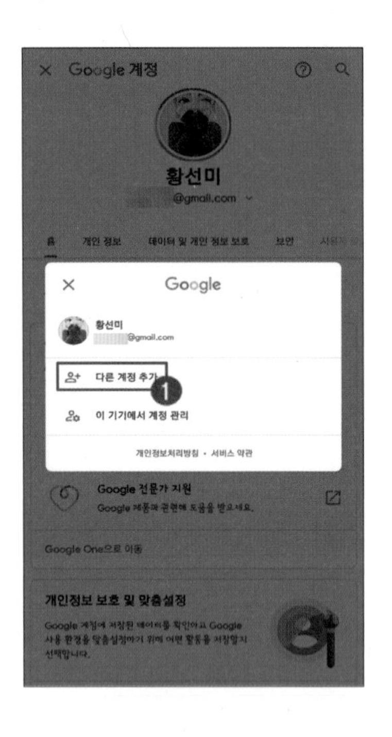

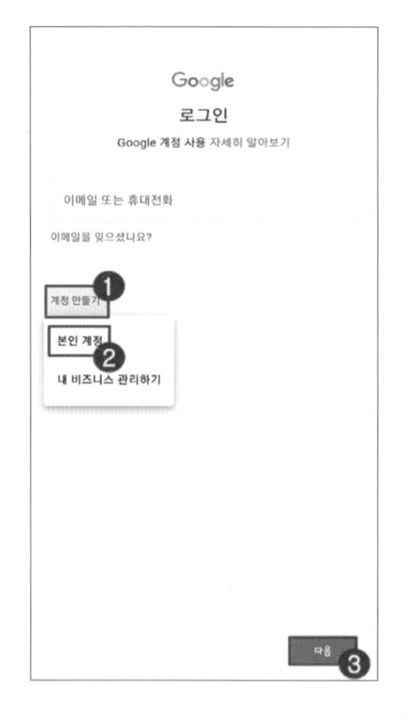

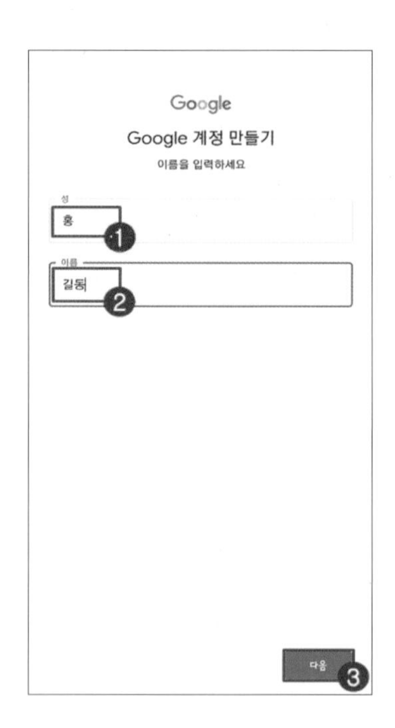

1 ① [다른 계정 추가]를 터치합니다. 2 ① [계정 만들기]를 터치하면 ② [본인 계정]을 터치 후 ③ [다음]을 터치합니다. 3 ① 자신의 [성]과 ② [이름]을 입력한 후 ③ [다음]을 터치합니다.

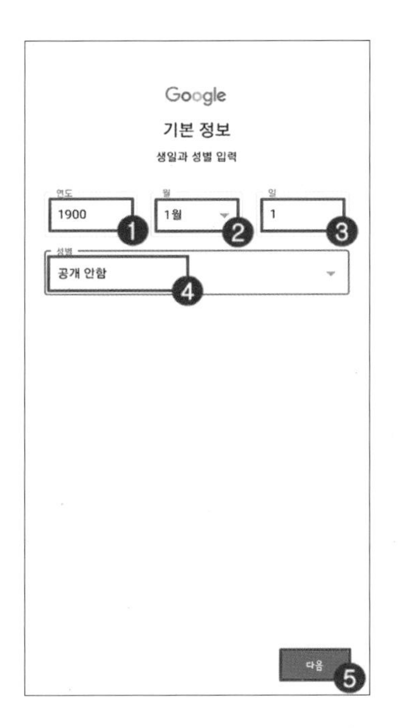

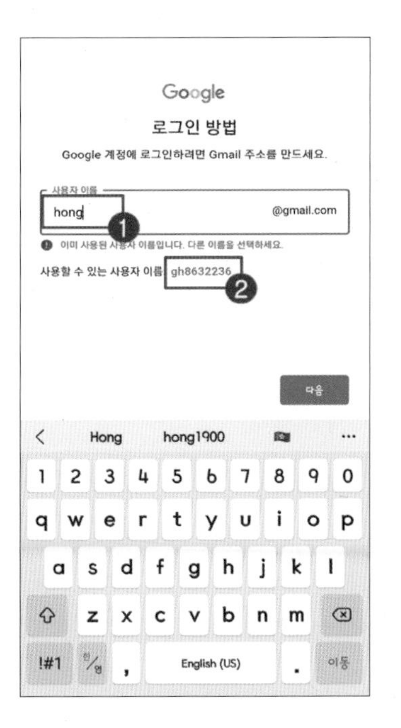

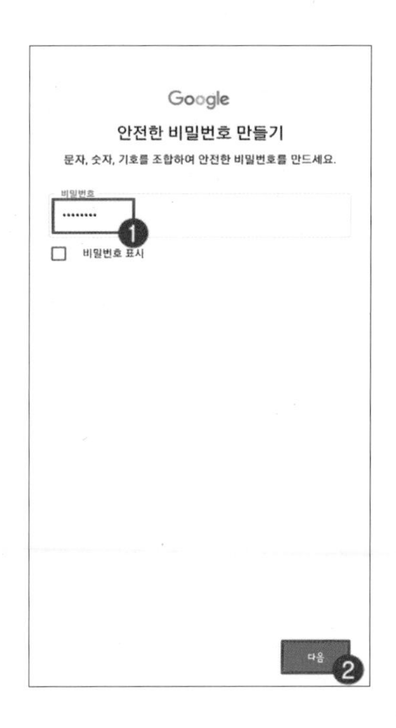

1 ① [출생연도]를 입력합니다. ② 역삼각형을 터치하여 [태어난 달]을 선택합니다. ③ [태어난 날짜]를 입력합니다. ④ 역삼각형을 터치하여 [성별]을 선택합니다. ⑤ [다음]을 터치합니다. **2** ① [사용자 이름]에 사용할 아이디를 입력합니다 (이미 다른 사용자가 이용하고 있다는 문구가 나옵니다). ② 사용 가능한 아이디를 추천해 주니 그중에서 선택합니다. ③ [다음]을 터치합니다. **3** ① 앞으로 사용할 [비밀번호]를 입력합니다. ② [다음]을 터치합니다.

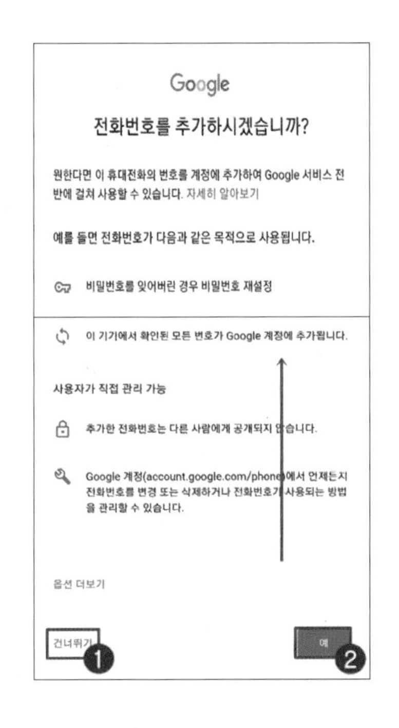

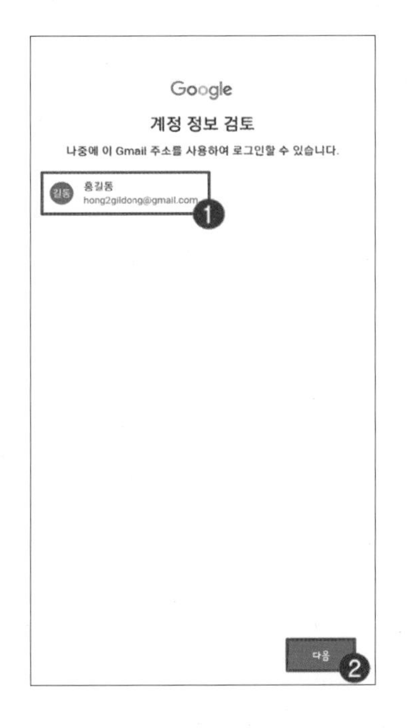

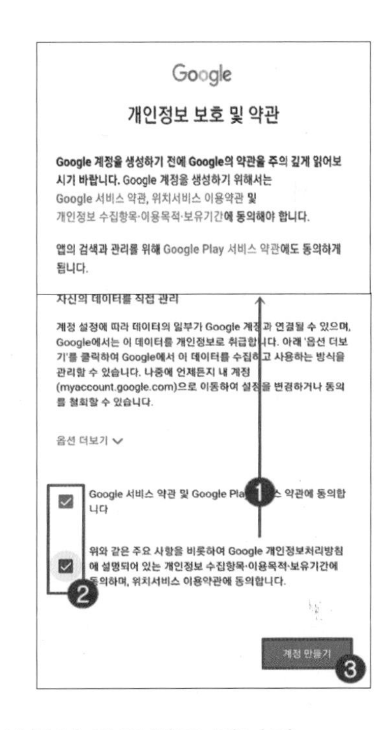

1 전화번호 추가 화면입니다. ① [건너뛰기] 해도 되고 ② [예]를 터치하여 등록해도 됩니다. **2** ① 계정을 확인한 후 ② [다음]을 터치합니다. **3** ① 개인정보 보호 약관 화면을 위로 올려 ② 동의 사항을 읽어본 후 [체크]합니다. ③ 하단에 [계정 만들기]를 터치합니다.

🅰 새로운 계정이 생성되었습니다.

26강 구글 플레이스토어 활용하기 - 환불받는 법

1 구글 플레이스토어 환불 방법

구글 플레이스토어에서 실수로 [어플]을 구매한 경우 환불받는 방법에 대해서 알아보겠습니다.

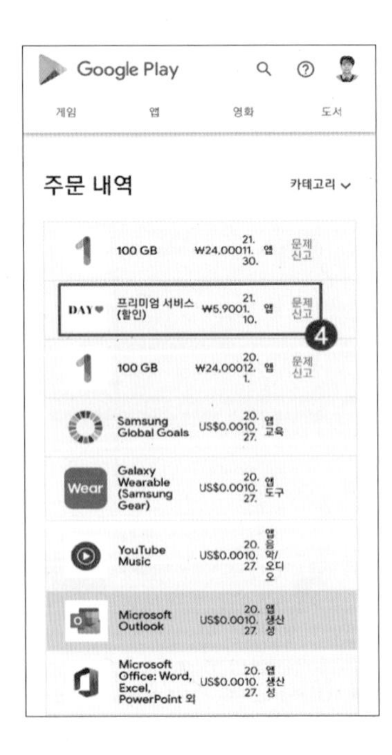

1 크롬 홈페이지 주소창에 ① [http:// play.google.com]에 접속합니다. 2 ② [계정]을 터치 후 ③ [주문 내역] 터치합니다. 3 ④ 취소를 희망하는 어플을 터치합니다.

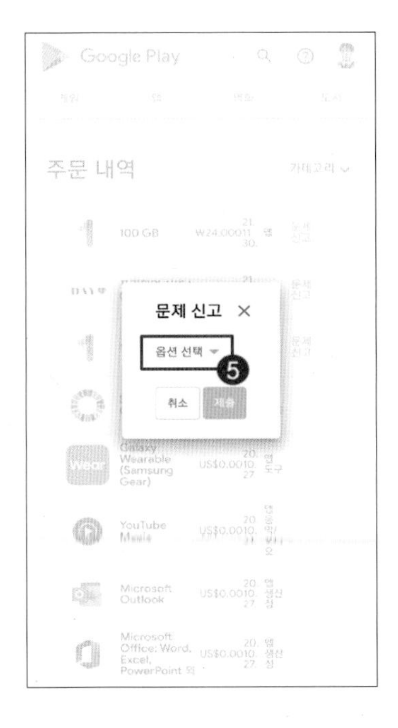

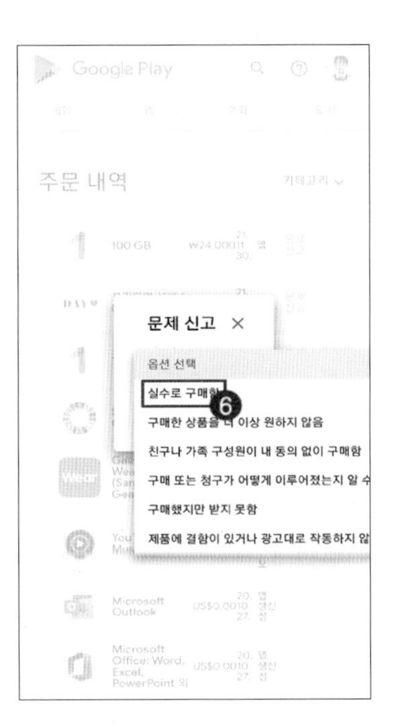

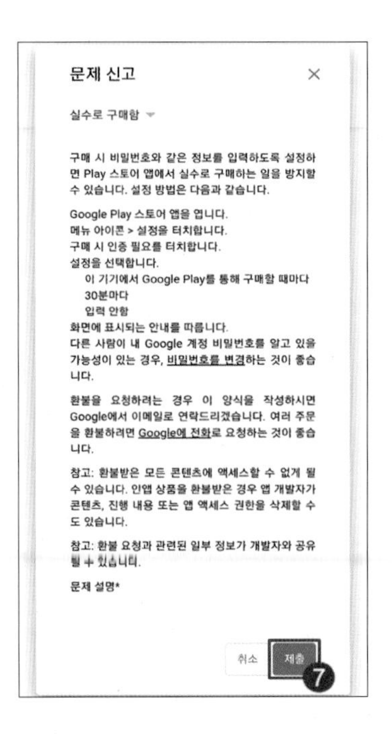

1 문제 신고에서 ⑤ [옵션]을 선택합니다. 2 ⑥ 취소 사유에 해당하는 내용을 터치합니다.

3 ⑦ [제출] 버튼을 터치합니다.

1 구매한 어플에 대해서 특별한 사유가 없는 한 48시간 이내에 환불 처리됩니다. ⑧ [확인] 버튼을 터치합니다. 환불 요청 결과를 이메일로 받을 수 있습니다.

27강 구글 어시스턴트

1 구글 어시스턴트 설치, 실행

1 ① [구글 플레이 스토어] 앱을 터치하여 실행합니다. 2 ② [검색창]에 [구글 어시스턴트]를 검색하여 ③ [설치]를 터치합니다. 3 ④ [어시스턴트] 앱을 터치하여 실행합니다.

1 [음성]으로 명령어를 말합니다. "2분 타이머 설정해 줘"라고 말하면 타이머를 바로 실행합니다. 2 ① [구글] 앱을 실행하여 [검색창]의 [마이크]를 터치합니다. 3 ② [듣는 중]이라고 나오면 원하는 명령어를 말합니다. 노래를 들려주고 검색할 수도 있고 전화나 문자를 하라고 명령할 수도 있습니다.

2 구글 어시스턴트 음성 모델 학습

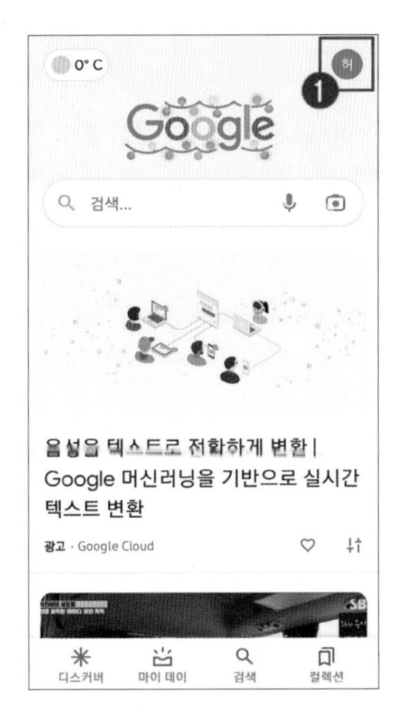

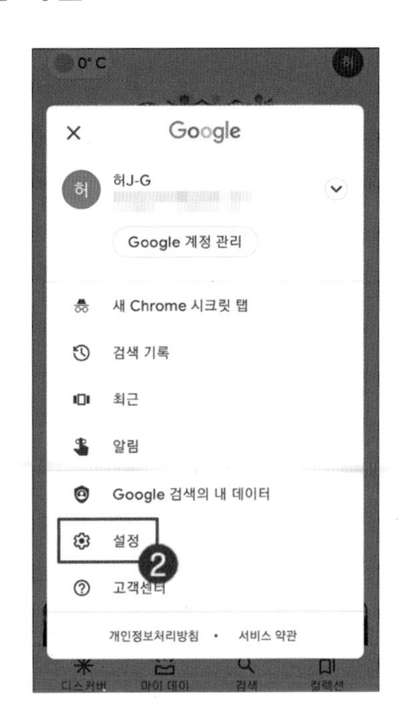

1 ① [구글 앱]을 실행시켜 상단 오른쪽의 [내 계정]을 터치합니다. 2 ② 메뉴 중 [설정]을 터치합니다. 3 ③ [구글 어시스턴트]를 터치합니다. ④ [Hey Google 및 Voice Match]를 터치합니다. 내 목소리를 구글 어시스턴트에 입력하여 명령어를 더 잘 인식하고 실행하게 합니다.

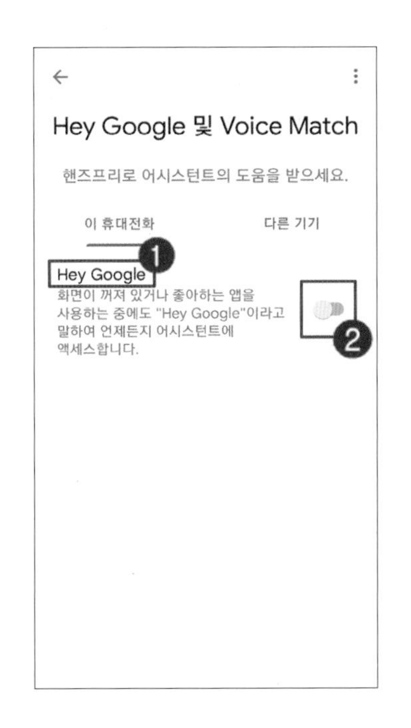

1 ① [Hey Google]을 터치하여 ② [활성화] 합니다. 처음 하면 동의를 누르시면 됩니다.

2 ③ [음성 모델]을 터치합니다. ④ [음성 모델 다시 학습시키기]를 터치합니다.

3 ⑤ [Ok Google]을 [두 번] 말합니다. ⑥ [Hey Google]을 [두 번] 말합니다.

끝나면 [Voice Match]가 다 되었습니다.

❸ 구글 어시스턴트 음성 선택

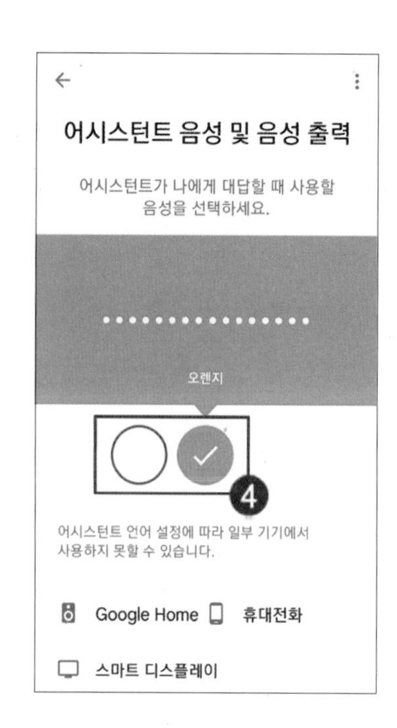

❶ ① 구글의 [설정]에 들어가서 ② [Google 어시스턴트]를 터치합니다. ❷ ③ 하단으로 쭉 스크롤해서 [어시스턴트 음성]을 터치합니다. ❸ ④ 오렌지는 여자 목소리, 레드는 남자 목소리로 원하는 목소리를 선택합니다.

❹ 구글 어시스턴트 명령어 사용해보기

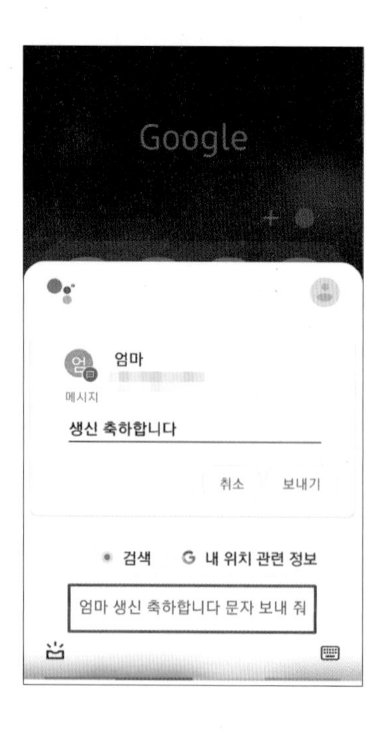

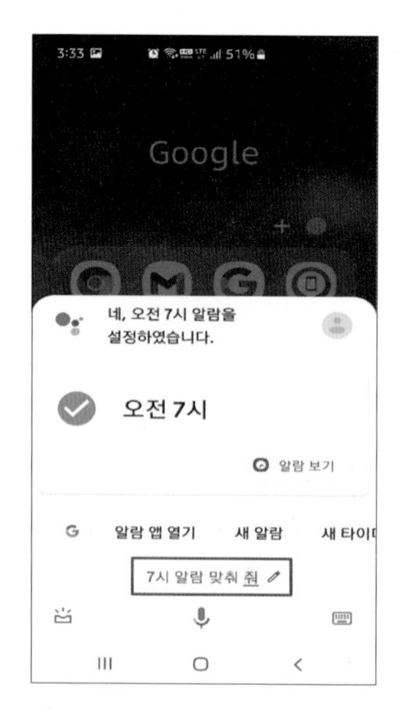

❶ "문자 보내줘" 하고 명령하면 인식해서 문자 보내기를 실행합니다. ❷ 알람이나 타이머 명령을 할 수 있습니다. ❸ 날씨를 알려달라고 명령할 수 있습니다.

5 구글 어시스턴트 명령어

리마인더 ("알려줘"라고 해도 됨)
▶○○○에게 열 시에 전화하라고 알려줘
▶내일 아침 10시에 ○○○에게 미팅한다고 리마인드해줘
▶리마인드한 내용을 다 보고 싶다면
" 리마인드 보여줘" 하면 됨

전화 (스마트폰에 저장된 전화번호만 가능함)
▶○○○에게 전화 걸어줘
▶○○○에게 문자 보내줘
▶안 읽은 문자 읽어줘
▶○○○에게 "가고 있다"라고 문자 보내줘

시간
▶지금 몇 시야?
▶지금 미국 뉴욕 몇 시야?
▶9시에 알람 해줘
▶20분 후에 알람 해줘
▶아침 7시에 깨워줘
▶내일 일몰 시간은?
▶타이머 1분 설정
▶타이머 취소

동영상
▶강아지 동영상 보여줘
▶메이크업 영상 보여줘
▶제주도 한라산 영상 보여줘

번역, 통역
▶"고맙습니다"가 스페인어로 뭐야?
▶영어로 통역해줘
▶중국어로 "안녕"이 뭐야?
▶중국어로 통역해줘

질문
▶100제곱 미터는 몇 평?
▶36인치는 몇 센티미터?
▶100달러 환율 알려줘
▶바나나 칼로리는? 구글 주가 알려줘
▶스타벅스 아메리카노 가격은?
▶이마트 영업시간은?

게임
▶500+300+29+90*20은?
▶주사위 굴리기(주사위 숫자가 나옴)
▶가상 여친(가상 남진) 불러줘(답답할 수 있음)
▶1부터 100까지 숫자 중 아무 숫자 뽑아줘
나 게임해줘

뉴스
▶뉴스 들려줘
▶각 방송사 이름 대고 "뉴스 들려줘" 해도 됨

지역, 위치
▶가장 가까운 커피숍이 어디야?
▶근처 칼국수 집 알려줘
▶전주에서 가볼 만한 곳은?
▶지금 내 위치 지도로 보여줘

레시피
▶등갈비 만드는 방법 알려줘
▶된장찌개 레시피 알려줘
▶볶음밥 재료 알려줘
▶불고기 양념 알려줘

음악
▶이 노래 제목 알려줘
▶볼륨 최대로 해줘. 볼륨 꺼줘
▶볼륨 50%로 해줘
▶명상 음악 들려줘
▶삼성 뮤직에서 "오라버니" 틀어줘
▶'G선상의 아리아' 틀어줘

날씨
▶오늘 날씨 알려줘?
▶내일 날씨 어때?
▶내일 비와?
▶오늘 미세먼지 어때?
▶오늘 서울 날씨 알려줘
▶내일 뉴욕 날씨 알려줘

소리(유튜브의 경우 광고를 봐야 하는 경우도 있음)
▶빗소리 들려줘
▶백색소음 들려줘
▶비 오는 숲 소리 들려줘

로스트 폰(폰을 찾고자 할 때)
▶내 폰 어디 있어? (내 기기 찾기 앱이 열립니다)

28강 카카오톡 기본

1 메뉴바 설명

1 카카오톡 메뉴는 하단의 다섯 개 아이콘으로 이루어져 있습니다. 2 ② 첫 번째 메뉴는 친구목록을 확인할 수 있는 [친구]화면입니다. 3 ③ 두 번째 메뉴는 대화목록 즉 채팅창을 확인할 수 있는 [채팅]화면입니다.

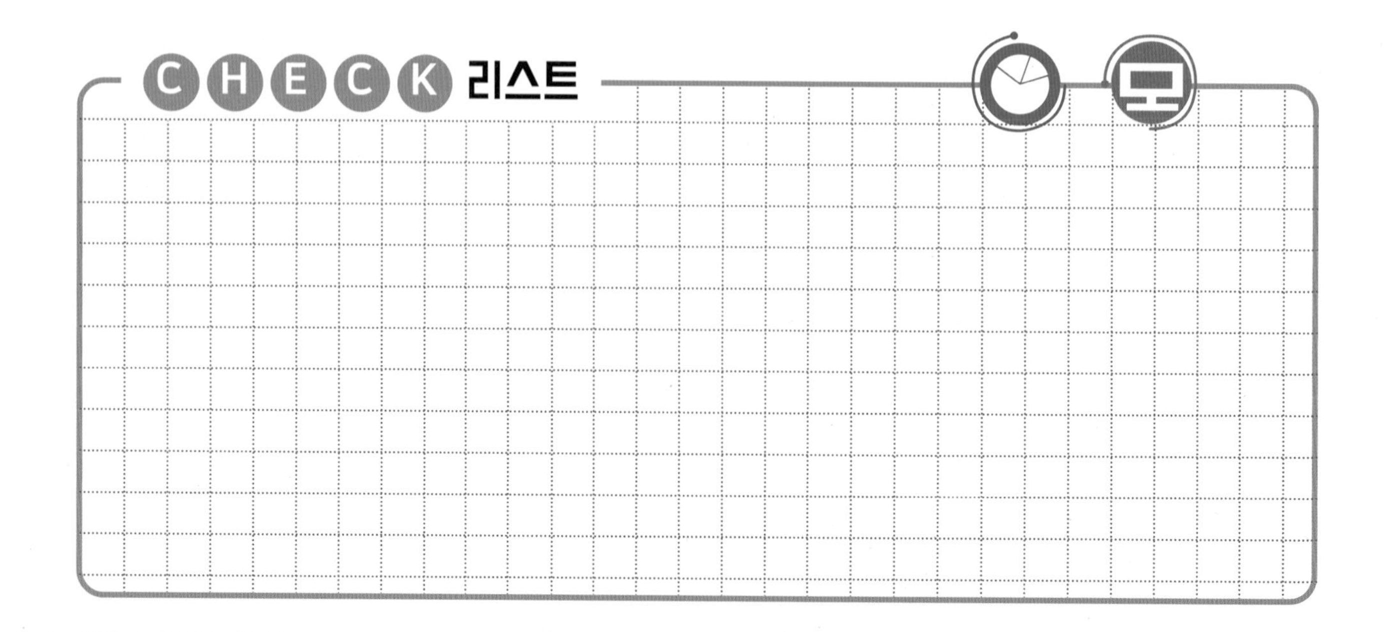

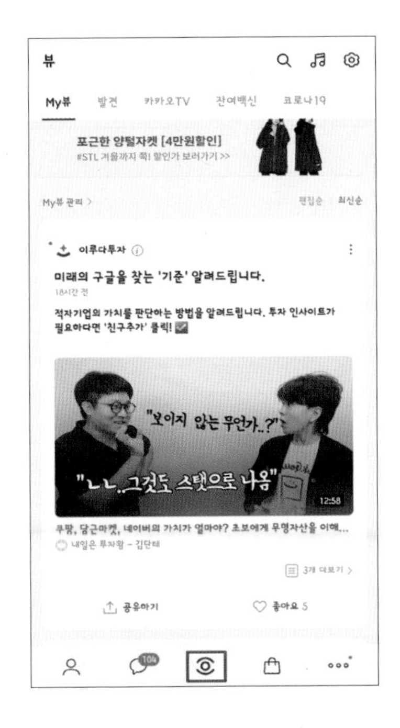

1 세 번째 메뉴는 카카오에서 제공하는 뉴스를 비롯한 다양한 정보를 확인할 수 있는 [뷰]화면입니다. **2** 네 번째 메뉴는 선물하기 및 쇼핑을 할 수 있는 [쇼핑]화면입니다. **3** 다섯 번째 메뉴는 지갑 및 다양한 메뉴를 확인할 수 있는 [더보기]화면입니다.

2 친구목록

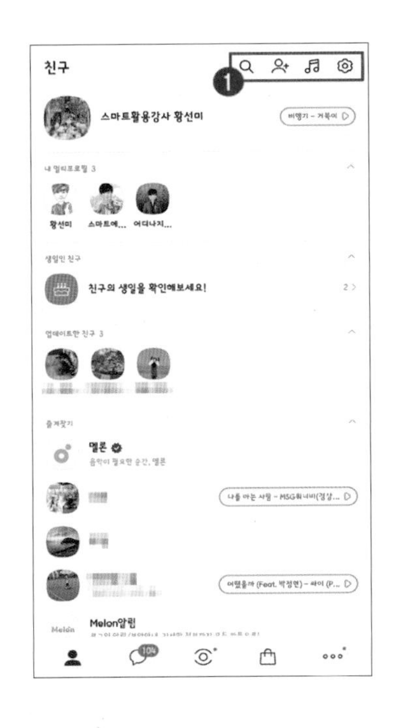

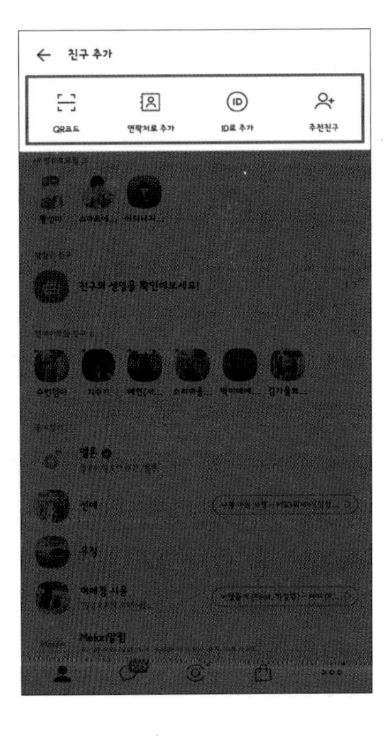

1 [친구목록]에는 내 프로필, 생일인 친구, 업데이트한 친구, 즐겨찾기, 채널, 친구가 있습니다. ① 오른쪽 상단 메뉴 [🔍, 👤+, ♫, ⚙] 있으며 **2** [🔍 검색] : 친구, 채팅방, 채널, 오픈 채팅을 검색할 수 있습니다. (검색은 채팅화면 동일) **3** [👤+ 친구 추가] : QR코드, 연락처 추가, ID 추가, 추천 친구가 있습니다.

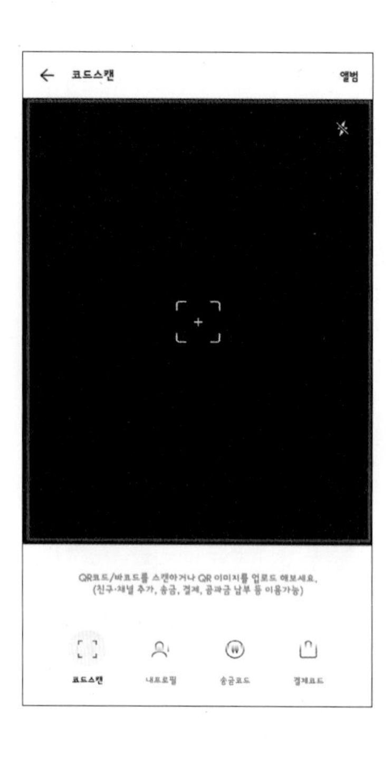

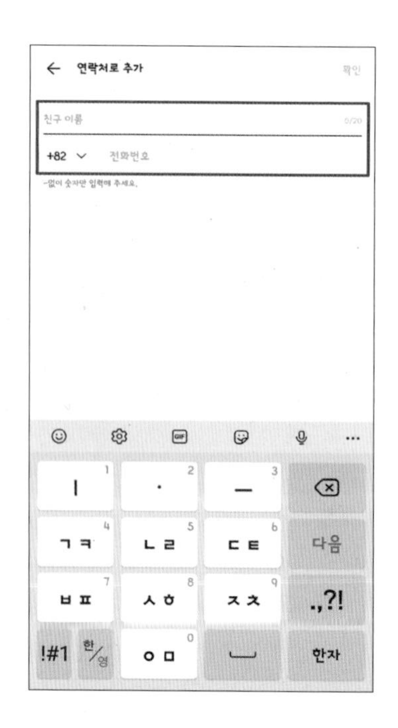

1 [QR코드]는 상대방의 QR코드를 스캔해서 친구를 맺을 수 있습니다. (내 프로필, 송금, 결제 가능)

2 [연락처로 추가] 친구의 이름과 전화번호로 카카오톡 친구추가 할 수 있습니다.

3 [카카오톡 ID로 추가] ID로 친구 추가 기능, [추천 친구추가] 알 수도 있는 친구를 자동으로 추천해 주는 기능입니다.

3 친구관리

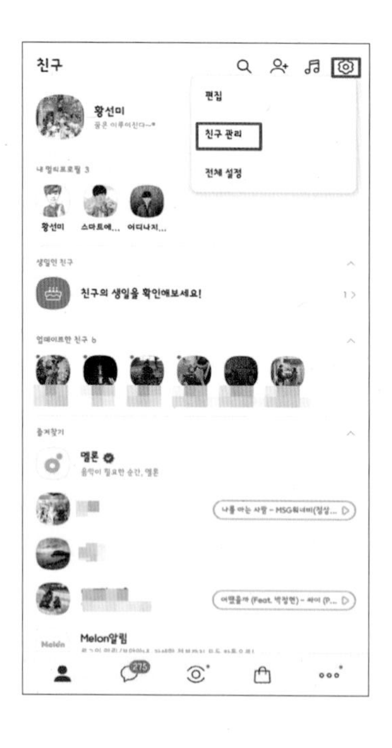

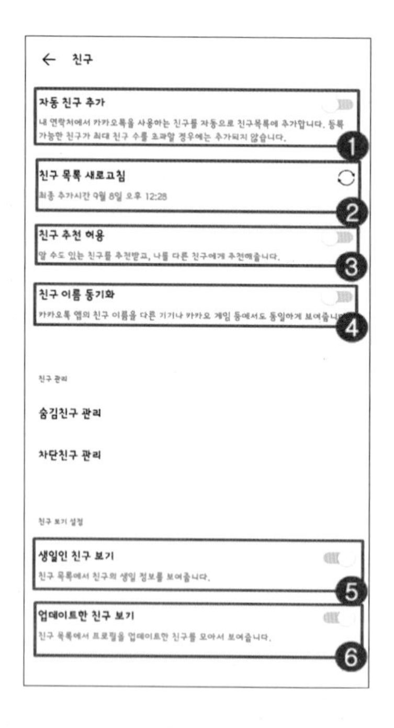

1 [ ]을 터치하면 편집, 친구 관리, 전체설정 나타납니다. [친구 관리]를 터치합니다.

2 ① [자동 친구추가] 내 연락처에 있는 친구를 자동으로 카카오톡에 친구추가 합니다.

② [친구목록 새로 고침]친구추가를 했던지, 혹은 전화번호를 새로 저장했는데 카카오톡에 친구가 안 뜰 때 친구목록 새로 고침을 하면 친구를 찾을 수 있습니다. ③ [친구 추천 허용] 알 수도 있는 친구에게 추천하고 추천받습니다. ④ [친구 이름 동기화] 친구 이름을 다른 기기나 카카오게임 등에서도 동일하게 보여줍니다.

⑤ [생일인 친구 보기] 친구목록에서 친구의 생일정보를 보여줍니다. ⑥ [업데이트한 친구 보기] 친구목록에서 프로필을 업데이트한 친구를 모아서 보여줍니다.

4 채팅방 종류

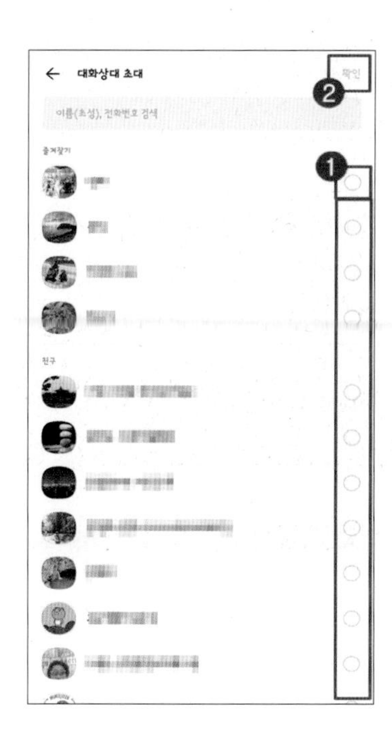

1 [채팅]메뉴에서는 대화를 나누었던 사람이나 그룹의 채팅방 목록을 볼 수 있습니다. [⊕]은 새로운 채팅방 개설입니다. 2 채팅방 종류로는 [일반 채팅, 팀 채팅, 비밀 채팅, 오픈 채팅]이 있습니다. 3 [일반 채팅]을 터치하면 ① [대화상대 초대] 목록에서 체크 후 ② [확인]을 누르면 채팅방이 생성됩니다.

1 팀 채팅방

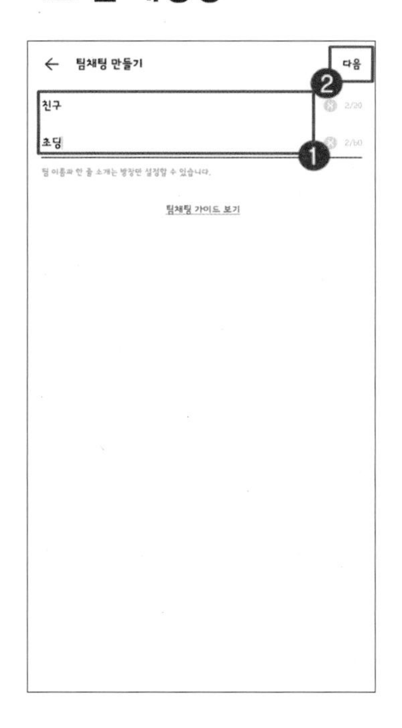

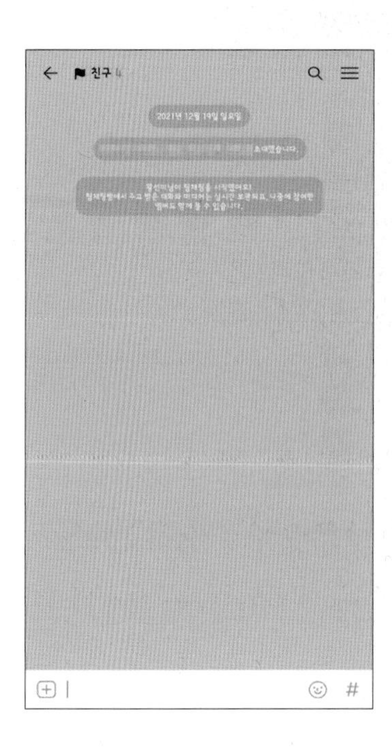

1 ① [팀 채팅]을 터치하면 [팀 이름, 한 줄 소개]를 입력 후 ② [다음]을 터치합니다.
2 ① [멤버 초대]목록에서 멤버를 선택하면 ② 상위에 초대한 멤버가 나타납니다.
③ [확인]을 누르면 3 팀 채팅방이 생성됩니다.

2 비밀 채팅방

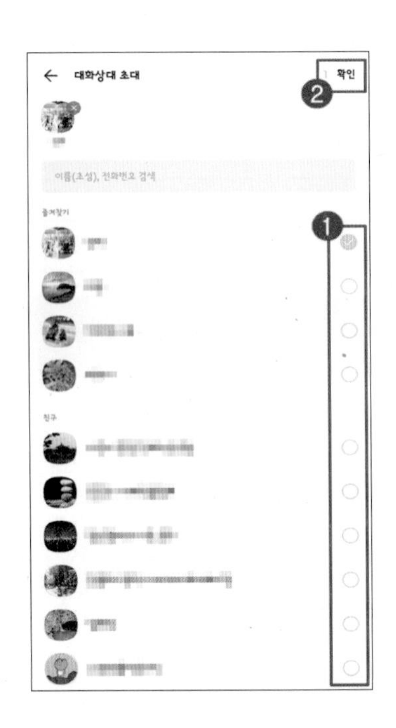

1 [비밀 채팅]을 터치하면 2 ① [대화상대 초대]에서 비밀 채팅 할 상대를 체크한 후 ② [확인]을 누르면 3 비밀 채팅방이 생성됩니다.

5 프로필 편집

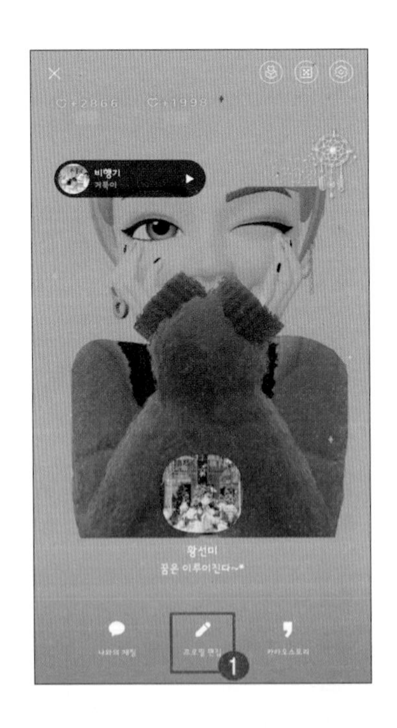

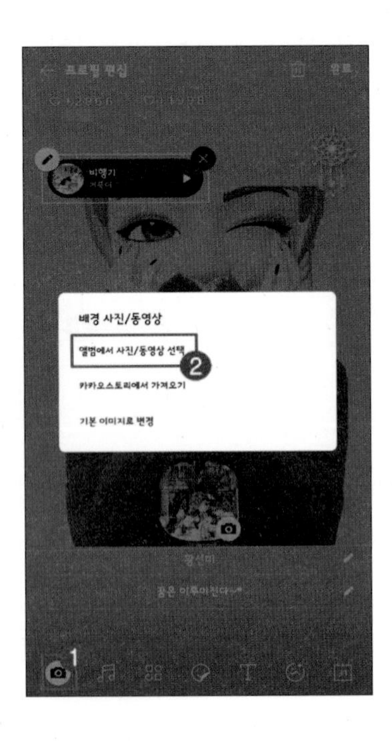

1 ① [친구]목록에서 본인의 이름(ID)을 터치합니다. 2 내 프로필 화면이 나옵니다. ① [프로필 편집]을 터치합니다. 3 ① 하단의 [카메라]를 터치합니다. ② 배경 사진/ 동영상에서 [앨범에서 사진/동영상 선택]을 터치하면 앨범에서 원하는 사진을 선택해 배경 사진을 변경할 수 있습니다.

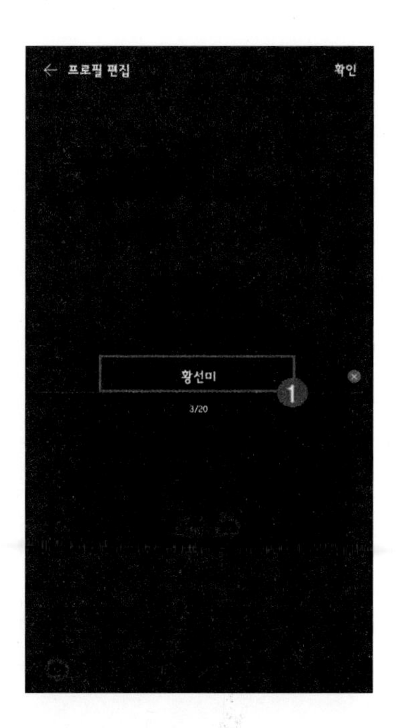

1 ① [프로필 카메라]를 터치합니다. ② 프로필사진/동영상에서 [앨범에서 사진/동영상]을 터치하면 앨범에서 원하는 사진을 선택해 프로필사진을 변경할 수 있습니다. ③ 오른쪽 하단의 [연필]을 터치하면 2 ① 프로필 이름을 변경할 수 있습니다. 3 ① 사진과 프로필 이름을 변경하였으면 오른쪽 위에 [완료]를 터치합니다.

1 ① 배경 사진과 프로필 사진 및 이름이 변경되었습니다.

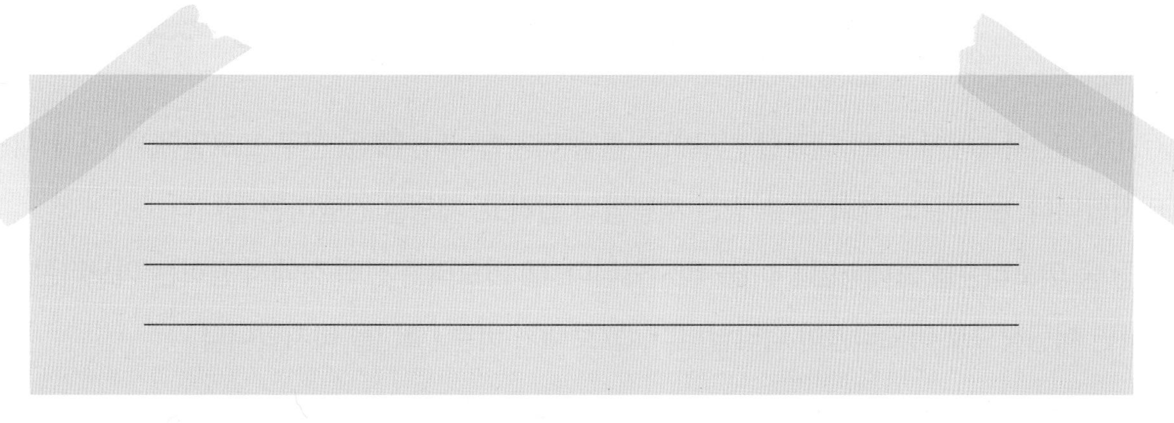

6 즐겨찾기에 추가

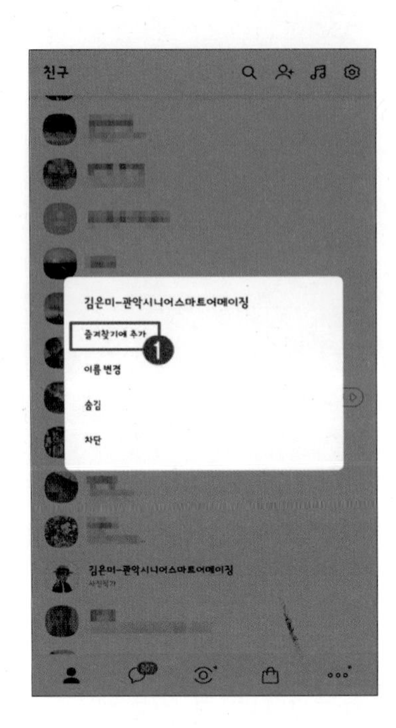

1 ① 친구목록에서 즐겨찾기 추가 친구의 이름을 꾹 누릅니다. 2 ① 위와 같은 [이름]창이 나타나면 [즐겨찾기에 추가]를 터치합니다. 3 ① [즐겨찾기 추가]에 친구의 이름이 추가되었습니다.

7 친구와 채팅하기

1 ① [친구]목록에서 1대1 대화할 친구의 이름을 터치합니다. 2 ① 친구 프로필에서 [1:1 채팅]을 터치합니다. 3 친구와 대화 할 수 있는 채팅방이 열리고, 채팅을 진행하면 됩니다.

① 채팅 중 이모티콘을 보내려면 [☺]을 터치합니다. ② 이모티콘 선택 창에서 원하는 이모티콘을 선택하면 채팅창으로 이모티콘이 나타납니다. ③ 보내기 버튼 [▶]을 터치합니다.

1 채팅창에 이모티콘을 보낼 수 있습니다.

8 사진 보내기

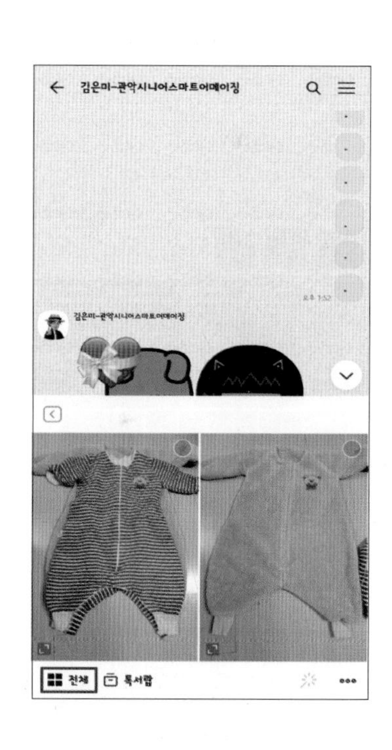

1 ① 채팅창에서 [⊞]을 터치합니다. 2 ① 사진을 보내기 위해서 [앨범]을 터치합니다.

3 최근에 찍은 사진을 먼저 볼 수 있는데, 더 많은 사진을 보기 위해서 [전체]를 터치합니다.

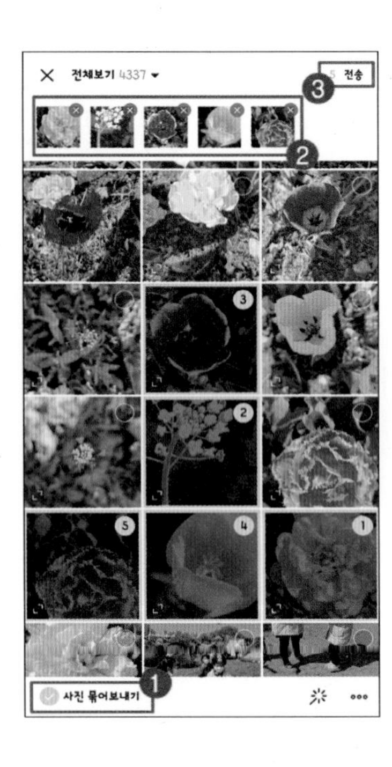

🅰 ① 한 번에 많은 사진을 보낼 때 사진 묶어보내기에 [∨]를 활성화하면 한 묶음으로 사진이 전송됩니다. ② 전송할 사진을 다 선택했다면 ③ [전송]을 터치합니다. 🅱 사진은 최대 30장까지 전송됩니다.

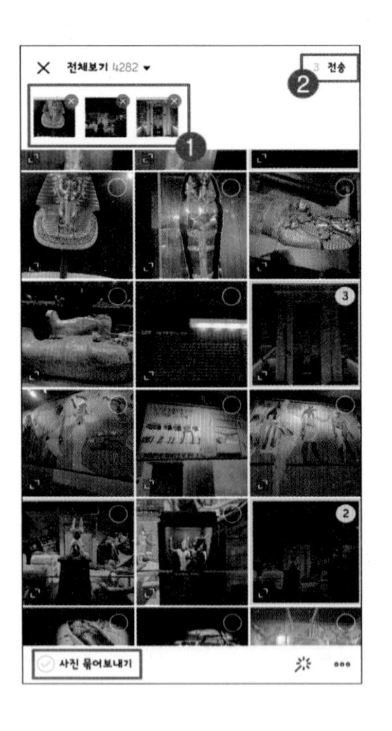

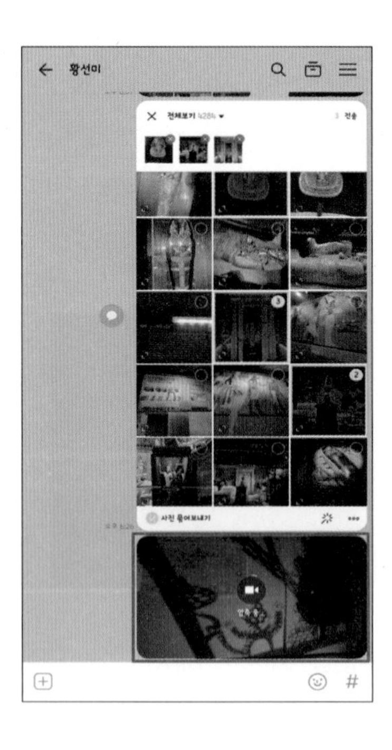

🅰 사진 묶어보내기에 [∨]를 비활성화하면 채팅창에 사진을 한 장씩 따로따로 보낼 수 있습니다. 사진 보내기와 마찬가지로 앨범에서 [전체 보기]를 터치하여 ① [동영상]을 선택하여 ② [전송]을 터치합니다. 🅱, 🅲 채팅창에 사진 및 동영상이 전송된 것을 볼 수 있습니다.

9 채팅방 나가기

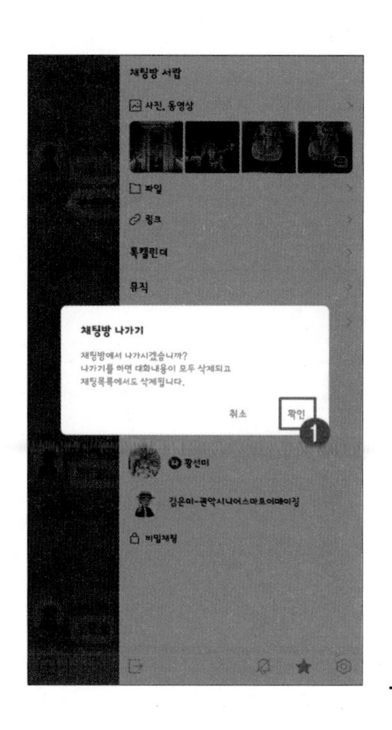

채팅방에서 나가기 방법은 두 가지가 있습니다. 1 ① 채팅방에서 오른쪽 위의 [≡]을 터치합니다. 2 ① [⇨]아이콘을 터치합니다. 3 ① 채팅방 나가기 [확인]을 터치합니다. 대화 내용이 모두 삭제되고 채팅목록에서도 삭제됩니다.

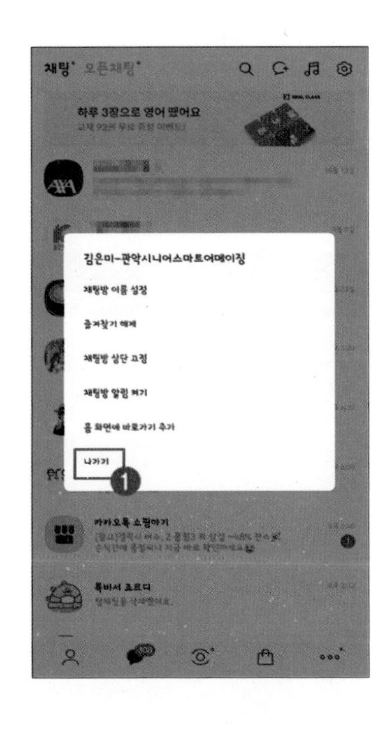

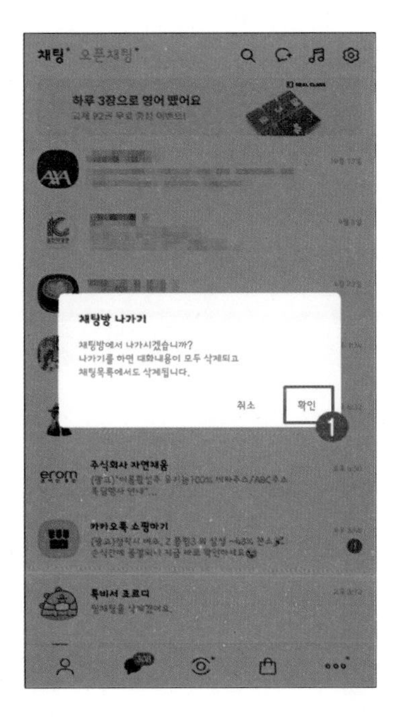

1 [채팅목록]화면에서 나가고자 하는 방 이름을 꾹 터치하면 메뉴가 나타납니다. ① 목록에서 [나가기]를 터치합니다. 2 ① 채팅방 나가기 창에서 [확인]을 터치합니다.

10 채팅창 상단고정, 채팅방 알림설정

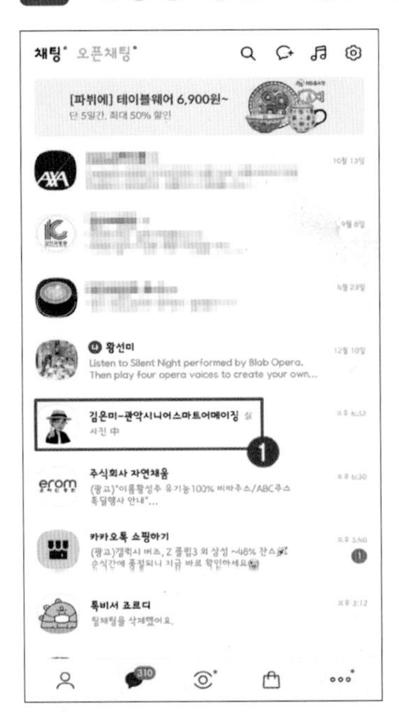

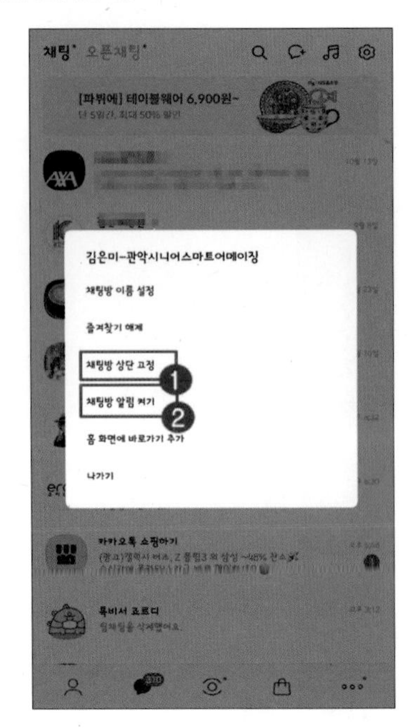

1 ① 고정하고자 하는 채팅방을 꾹 터치합니다. 2 [채팅방]설정 창이 나타납니다. ① [채팅방 상단 고정]을 터치합니다. ② 채팅방 알림 소리를 끄려면 [채팅방 알림 끄기]를 터치합니다.

3 ① [채팅]화면의 가장 상단에 채팅방이 고정되고 표시된 것처럼 채팅방 이름 옆에 핀 표시가 [ ]생겼습니다. [채팅방 알림 끄기]는 채팅이 오더라도 알림이 울리지 않도록 설정하는 것입니다. 채팅방 옆에 [ ]생겼습니다.

11 보낸 메시지 삭제 (전송 후 5분 안에)

1 모든 대화 상대에게서 삭제하기

[잘못 보낸 메시지 해결 방법]에 대해 알아보겠습니다. 채팅을 쓰다 보면 글을 잘못 보낼 때가 있습니다. 이럴 때는 5분이 지나지 않았다면 메시지를 삭제할 수 있습니다.

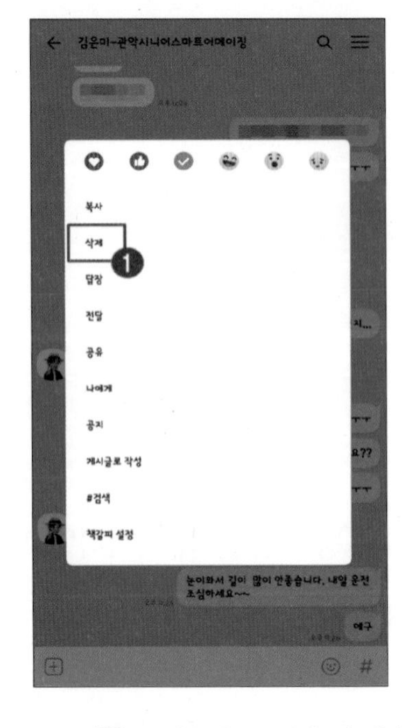

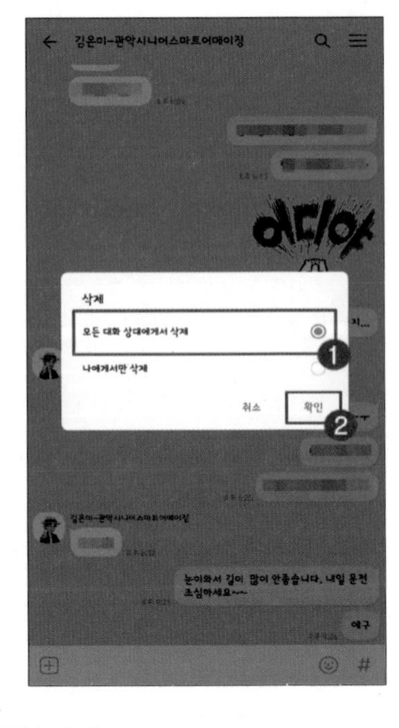

1 ① 잘못 보낸 메시지를 꾹 터치합니다. 2 ① 창이 뜨면 [삭제]를 터치합니다.
3 ① [모든 대화 상대에게서 삭제]를 터치합니다. ② [확인]을 터치합니다.

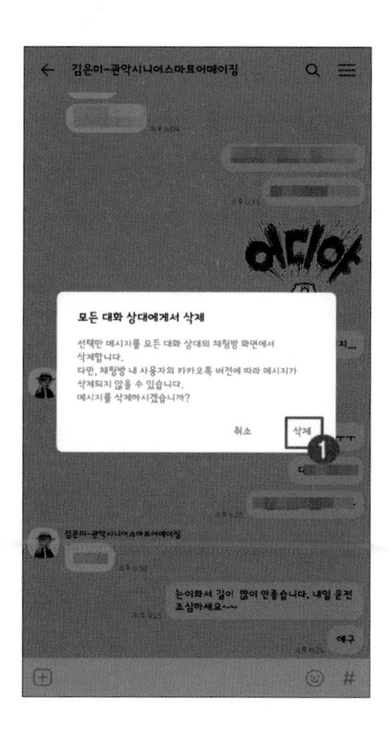

1 ① [모든 대화 상대에게서 삭제] 확인 창이 뜨면 [삭제]를 터치합니다. **2** ① 잘못 썼던 메시지 자리에 [삭제된 메시지입니다.]라는 메시지로 바뀌고 보낸 메시지는 삭제됩니다. 내 창과 친구 창에서 대화 내용이 모두 삭제됩니다.

2 나에게만 삭제하기

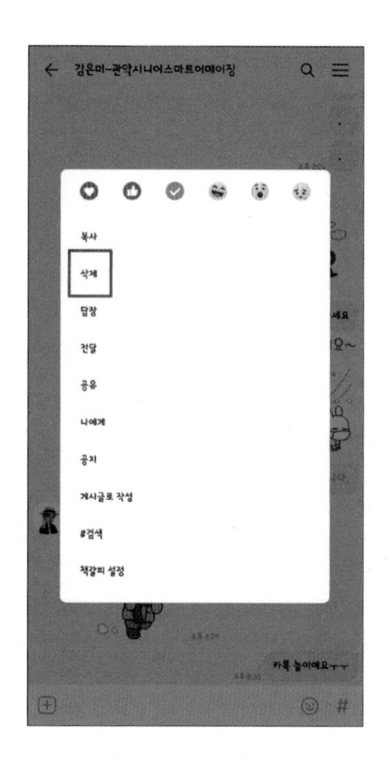

1 ① 대화창을 누르면 [삭제]메뉴 창이 나타납니다. **2** ① [나에게서만 삭제]선택 후 ② [확인]을 터치합니다. **3** 삭제하고자 하는 메시지를 선택합니다.

🅰 ① 메시지를 선택하고 나면 나에게서만 삭제 메뉴에서 [삭제]를 터치합니다. 삭제하고자 하는 메시지가 대화창에서 삭제되었습니다.

12 저장공간 관리

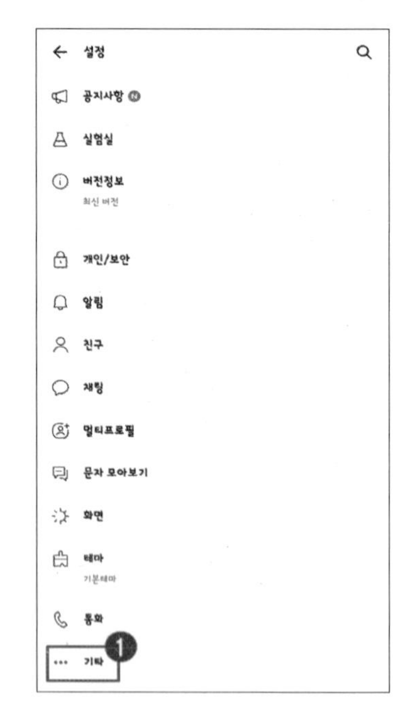

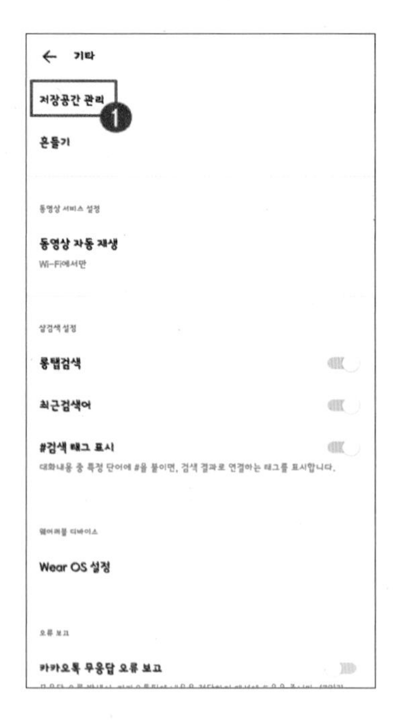

[카카오톡 메모리 청소하기]를 해보겠습니다. 1 ① 친구목록 오른쪽 위에 [⚙]를 터치한 후 전체 설정을 터치합니다. 2 ① 설정 메뉴 아래에 [··· 기타]를 터치합니다. 3 ① 기타화면에서 [저장공간 관리]를 터치합니다.

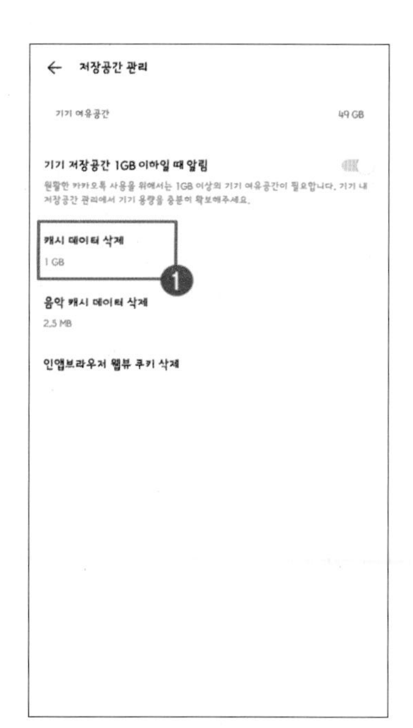

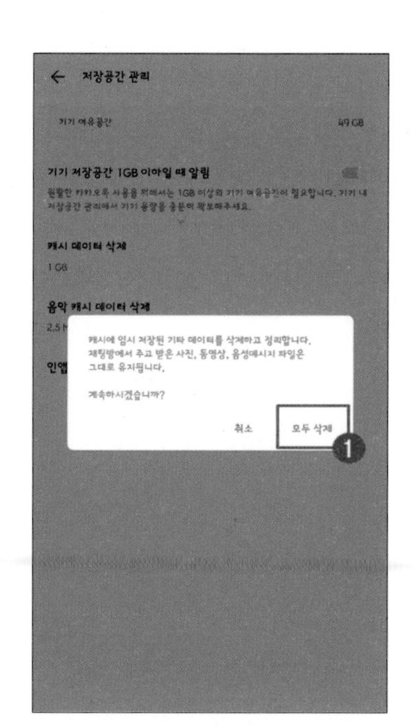

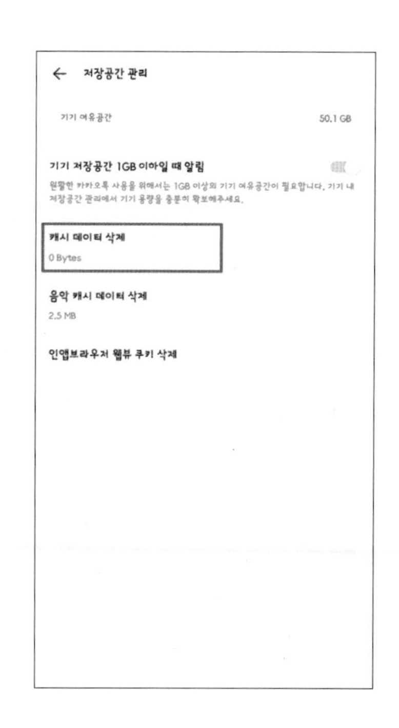

1 ① [저장공간 관리]에서 [캐시 데이터 삭제]를 터치합니다. 2 [데이터를 삭제하고 정리합니다. 계속하시겠습니까?]라는 창이 나타납니다. ① [모두 삭제]를 터치합니다. 3 캐시 데이터가 삭제됩니다.

29강 광고 없이 유튜브 보기

애드블락 (Adblock) - 광고를 제거, 차단하고 배터리 및 데이터양을 절감하여 인터넷 속도를 높여줍니다.

1 ① [구글 플레이스토어]를 터치합니다. 2 [검색창]에서 앱을 검색합니다. 3 ③ [애드블락]이라고 검색하여 ④와 같은 아이콘을 찾아 ⑤ [설치]합니다.

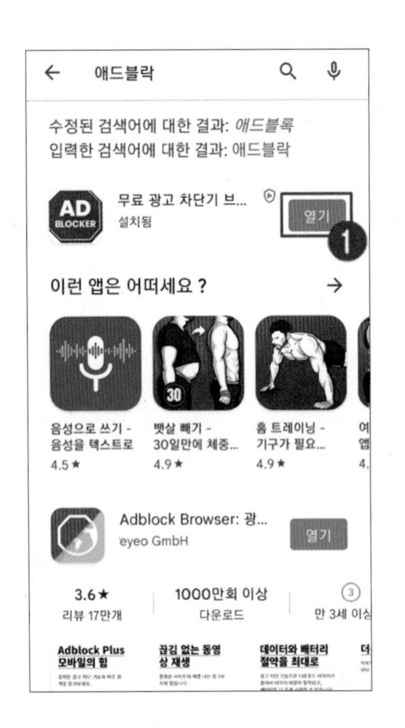

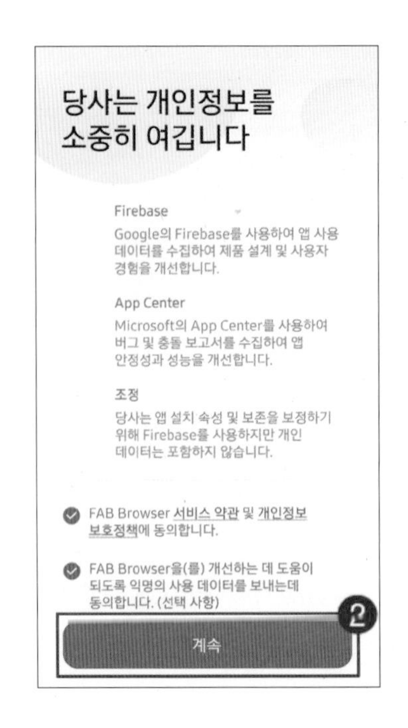

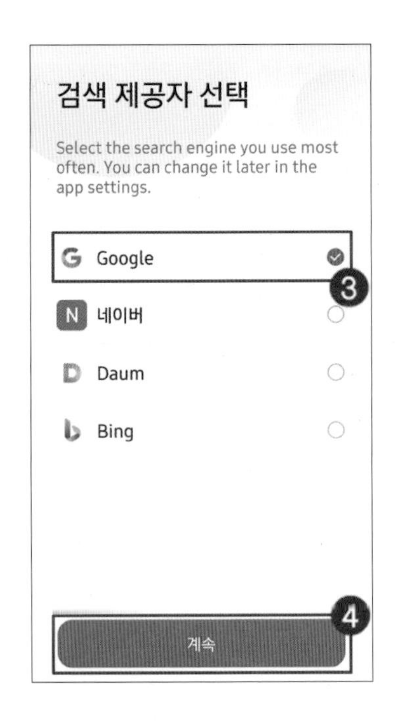

1 ① 설치가 다 되면 [열기]를 합니다. **2** ② [계속]을 터치합니다. **3** ③ [Google]를 선택하고 ④ [계속]을 터치합니다.

1 ① 설치가 되면 [유튜브]를 터치합니다. **2** ② 검색창에서 보고 싶은 동영상을 검색합니다. **3** ③ 구글 계정으로 [로그인] 합니다.

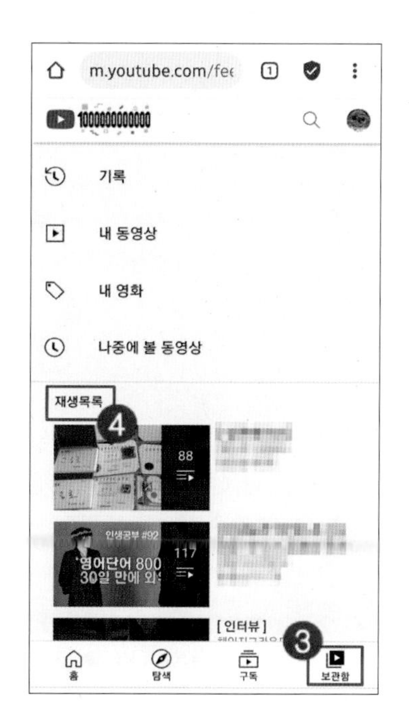

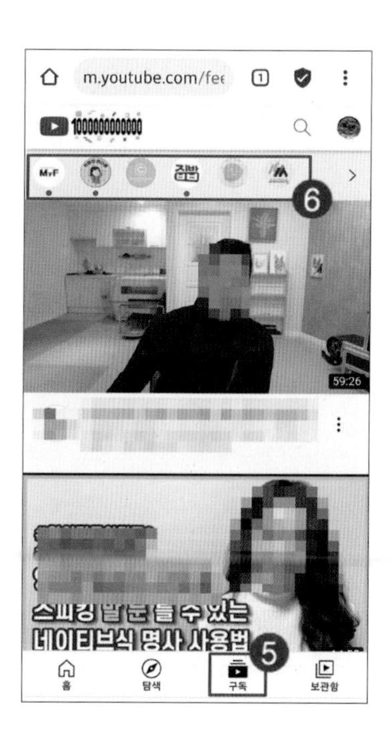

1 ① 로그인하면 상단에 [내 계정]이 보이고 ② 하단 메뉴에 [구독]이 나타납니다. 유튜브와 똑같이 나의 패턴대로 추천 영상이 나타납니다. **2** ③ [보관함]을 터치하면 내 계정의 ④ [재생목록]이 똑같이 나타납니다. **3** ⑤ [구독]을 터치하면 ⑥ 구독하고 있는 계정의 업로드된 영상이 나타납니다. 구독하고 있는 계정 목록이 아이콘으로 보입니다.

30강 음악다운받기 - 음악다운

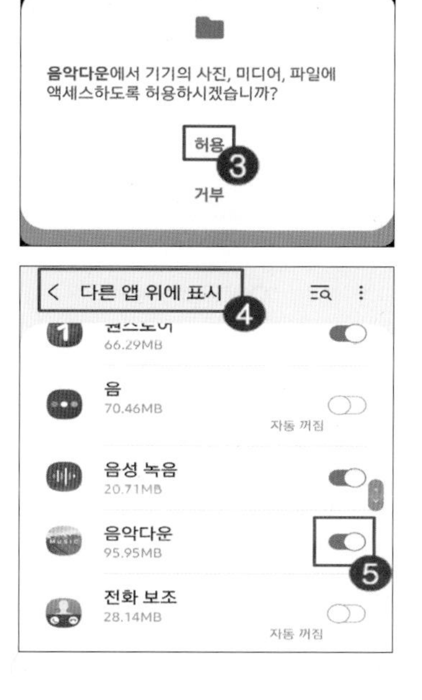

1 ① 구글 플레이스토어에서 [음악다운]을 검색하고 ② [설치]를 합니다.

2 ③ [허용]과 ④ [다른 앱 위에 표시]에서 ⑤ [음악다운]을 [활성화] 합니다. **3** ⑥ 설치 완료 후 검색창에서 노래를 검색합니다.

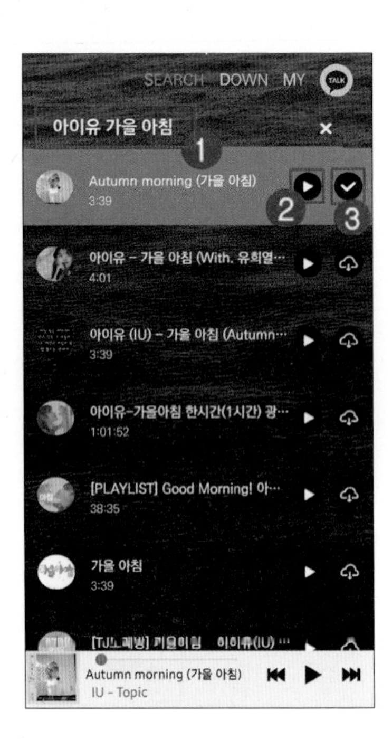

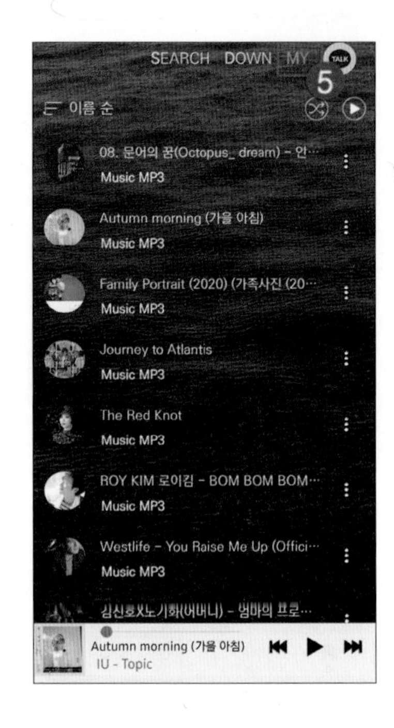

🅐 ① 가수나 노래로 [검색]합니다. ② 음악을 들어 볼 수 있고 ③ [다운]을 받을 수 있습니다.

🅑 ④ [다운] 받은 곡이 나옵니다. 🅒 ⑤ [MY]에서는 지금까지 다운받은 모든 파일을 볼 수 있습니다.

31강 음악다운받기 - 스텔라 브라우저

1 스텔라 — 음악

🅐 ① [원스토어]를 터치합니다. 🅑 원스토어 화면으로 이동합니다. 🅒 ① 원스토어 [검색]을 터치합니다.

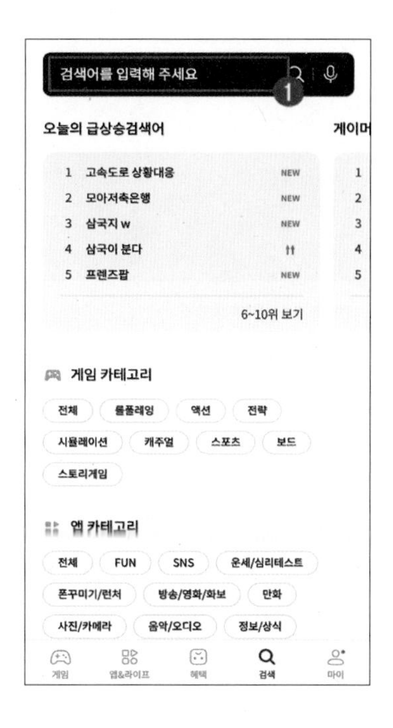

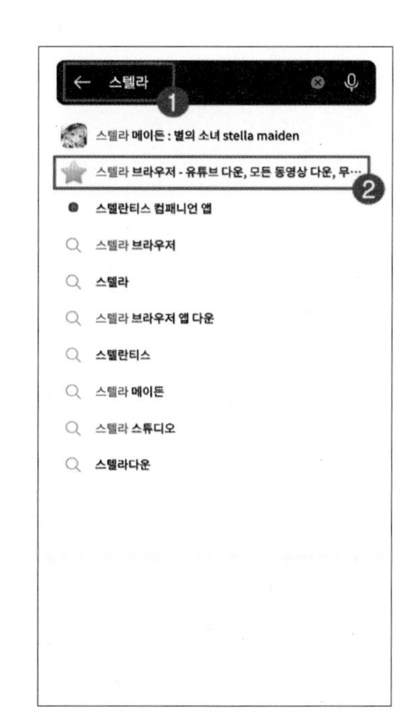

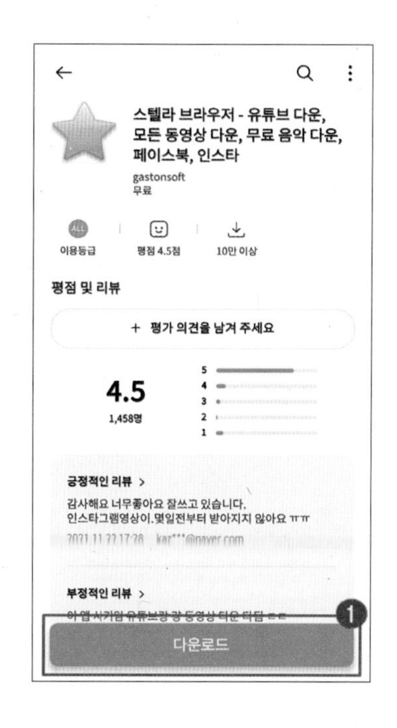

1 ① 원스토어 검색창을 터치합니다. 2 ① [스텔라 또는 스텔라 브라우저]를 입력 후 검색합니다. ② [스텔라 브라우저]를 터치합니다. 3 ① 화면 하단에 [다운로드]를 터치합니다.

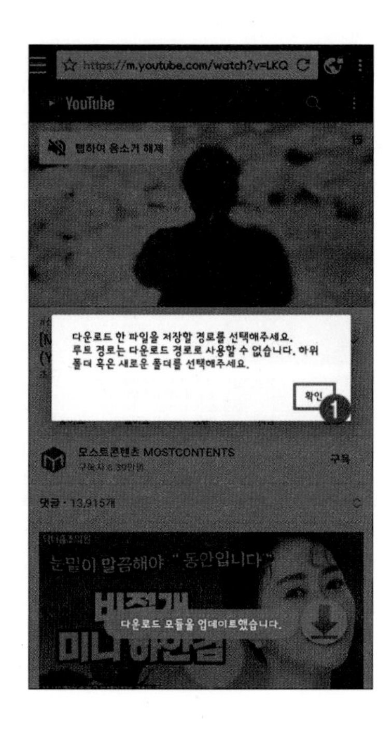

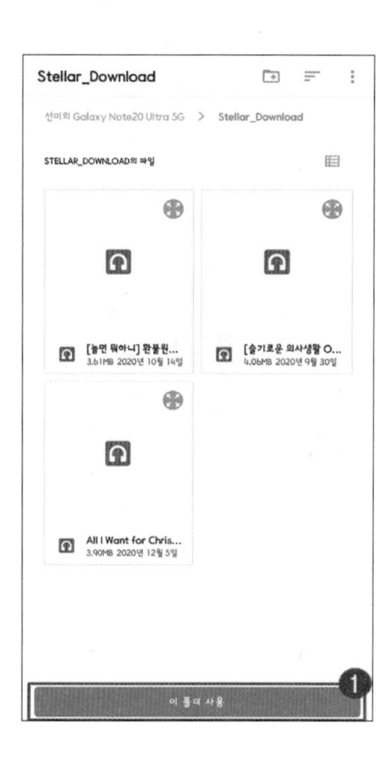

1 ① 화면 하단에 [실행]을 터치합니다. 2 ① '다운로드 파일을 저장할 경로를 선택해주세요.'라는 창이 뜨면 [확인]을 터치합니다. 3 ① 스텔라 다운로드 [이 폴더 사용]을 터치합니다.

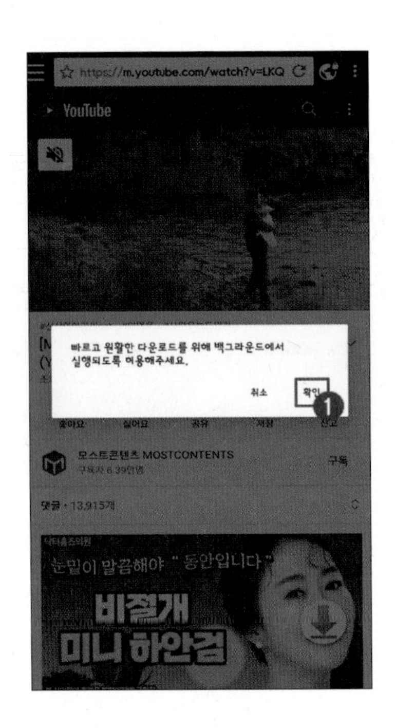

1 ① 스텔라 브라우저에서 스텔라 다운로드 파일에 액세스하도록 [허용]을 터치합니다.

2 ① 빠르고 원활한 다운로드를 위해 [확인]을 터치합니다. 3 ① 배터리 사용량 최적화 중지를 위해 [허용]을 터치합니다.

1 ① 검색창에 [좋아하는 가수나 노래 제목]을 검색하여 터치합니다.

2 ① 유튜브 창의 [별빛 같은 나의 사랑아]를 터치합니다. 3 ①검색된 동영상이나 음악을 다운로드 하려면 하단 아래 화살표 모양의 [다운로드 아이콘]을 터치합니다.

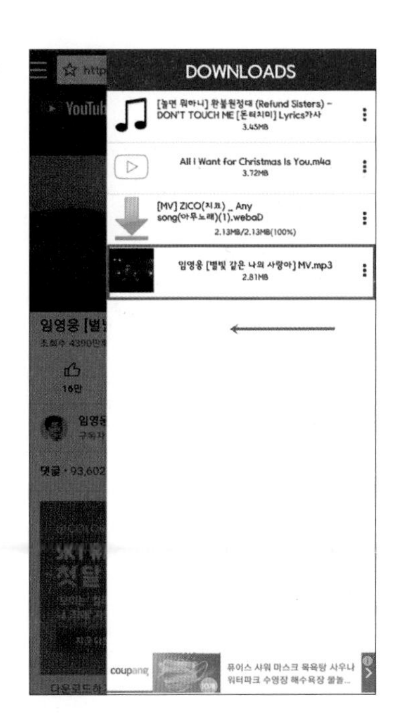

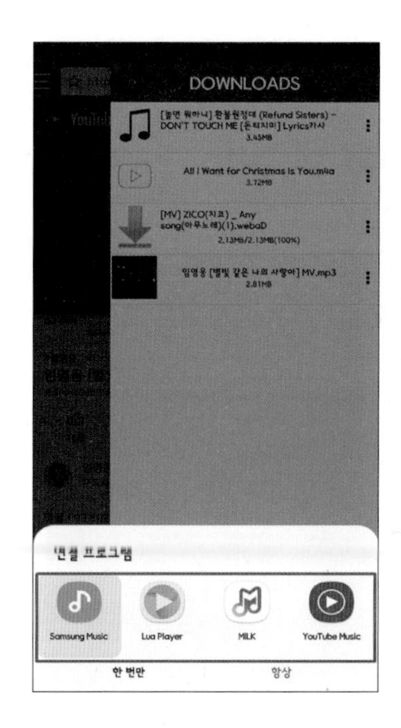

❶ 화면 하단 창에서 mp3 음원만 다운로드하려면 [Music]을 터치합니다. 또는 동영상을 다운로드하려면 [video]를 터치합니다. ❷ 다운로드된 음원(mp3)은 스텔라 화면에서 [좌측으로] 밀면 다운로드된 리스트가 보입니다. ❸ 다운로드된 음원(mp3)은 [삼성뮤직 또는 play뮤직]으로 노래를 들을 수 있습니다.

❷ 스텔라 — 동영상

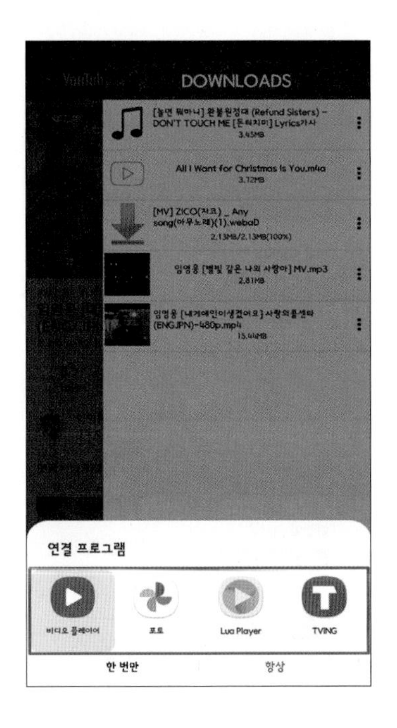

❶ 다운로드된 동영상은 [비디오 플레이어]로 동영상을 볼 수 있습니다. ❷ 다운로드된 동영상은 갤러리 앨범 [스텔라 다운로드]에 저장됩니다.

32강 네이버 그린닷

1 내 주변

1 ① [네이버 어플]을 터치한 후 2 ② 네이버 대표 검색 엔진인 [그린닷]을 터치하면 원형으로 된 검색창이 나타납니다. 스마트렌즈, 이미지 검색 및 쇼핑, QR 바코드 그리고 내 주변 검색, 번역 기능 등을 사용할 수 있습니다.

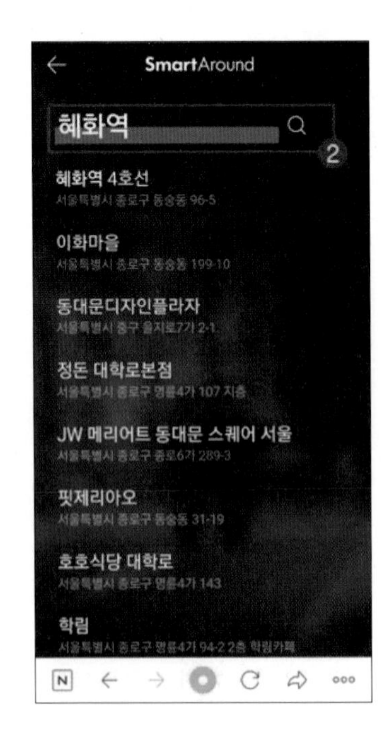

[그린닷]의 검색 기능을 아래 그림과 같이 하나씩 살펴보기로 합니다. 1 ① [내 주변]을 터치하면 2 ② 돋보기 검색창을 활용하거나 (위치 설정이 되지 않았을 경우), 3 ③ 내가 위치한 곳 주변을 곧바로 검색합니다. (위치 설정 기능이 실행될 때)

2 검색

1 ① 그린닷의 [검색]을 터치합니다. 2 ② 상단 커서가 움직이는 곳에 [검색어]를 입력하고 돋보기를 터치합니다. ③ 마이크를 터치하여 [음성]으로 검색할 수도 있습니다. ④ [사진]을 촬영하여 검색할 수 있습니다. ⑤ 위치 보기 아이콘을 터치하면 [내 위치 주변]을 검색할 수 있습니다.

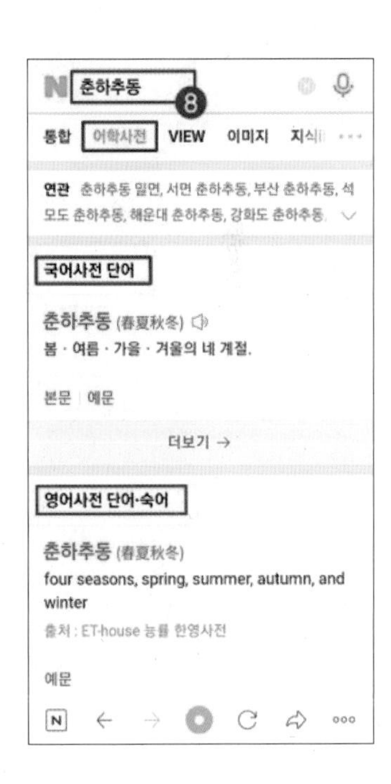

1 ⑥ 검색할 단어를 넣으면 통합검색이 가능합니다. 2 ⑦ [이미지] 검색도 가능합니다.

3 ⑧ [어학사전]을 터치하면 여러가지 언어 검색도 할 수 있습니다.

❸ 렌즈, QR 바코드, 쇼핑 렌즈

[그린닷] 메뉴에서 ❶ ① [렌즈] ❷ ② [QR 바코드] ❸ ③ [쇼핑렌즈]를 활용하면 위의 사진과 같은 방법으로 간편하게 상품의 정보를 얻을 수 있습니다.

네이버 [그린닷]은 [렌즈], [QR 바코드], [쇼핑 렌즈]를 활용하여 ❶ 문자 인식이나 ❷ 와인에 관한 정보, 상품 정보, 쇼핑 정보는 물론, ❸ 결제까지 간편하게 할 수 있는 검색기능입니다.

4 렌즈, QR코드

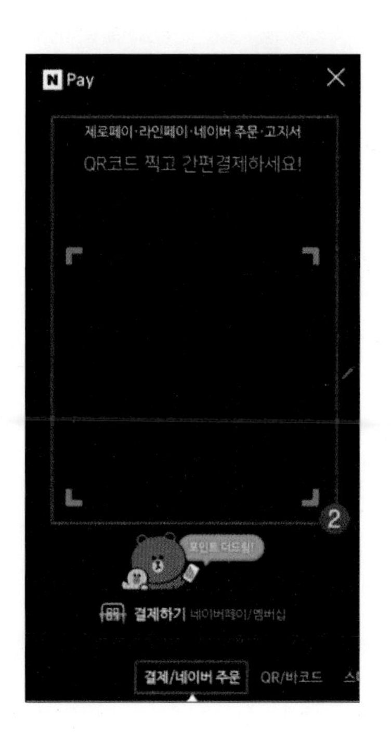

1 ① [쇼핑 렌즈]는 상품과 쇼핑 정보를 제공합니다. 2 ② 결제 수단으로 [QR코드]를 찍으면 간편하게 결제할 수 있습니다.

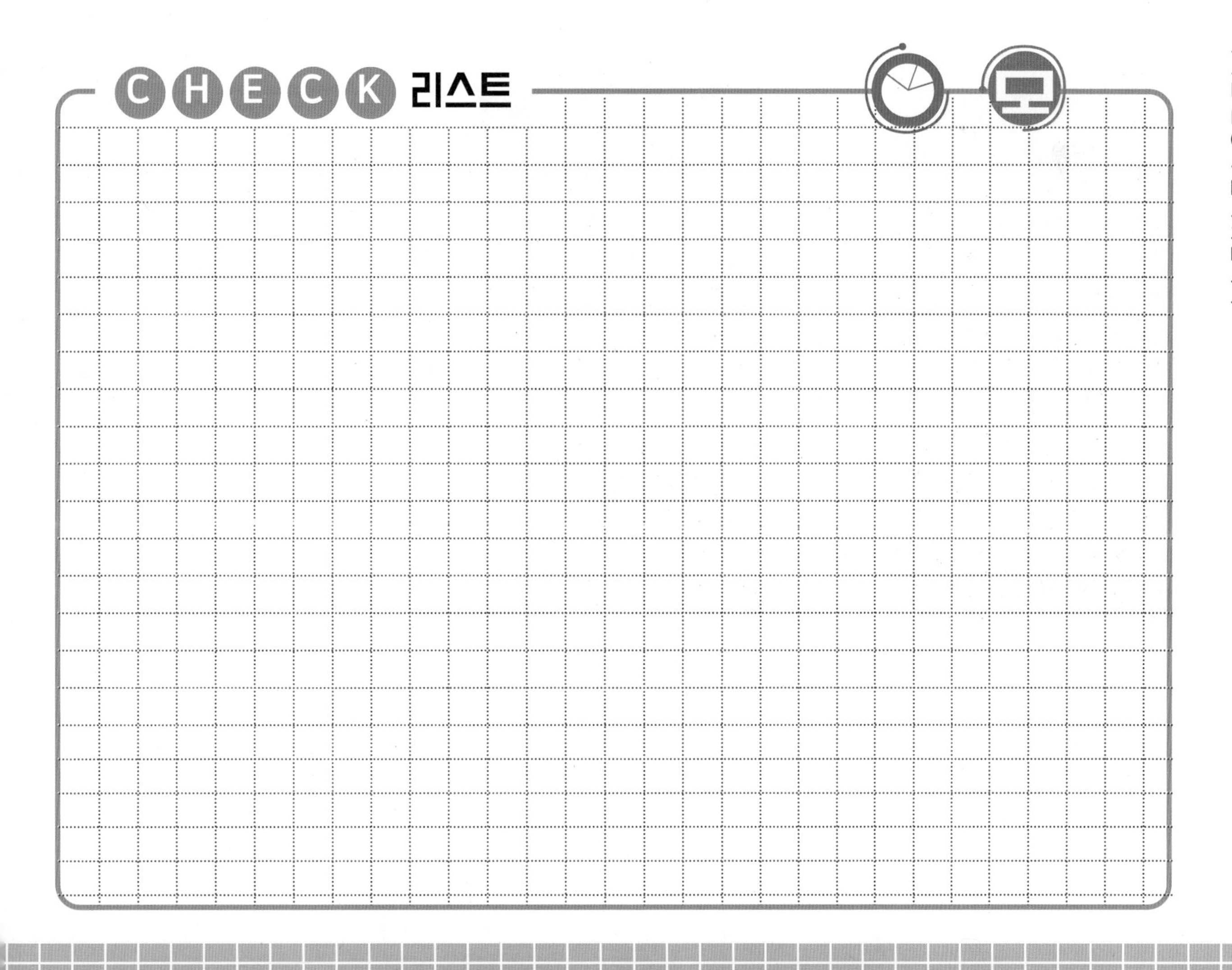

5 파파고 번역

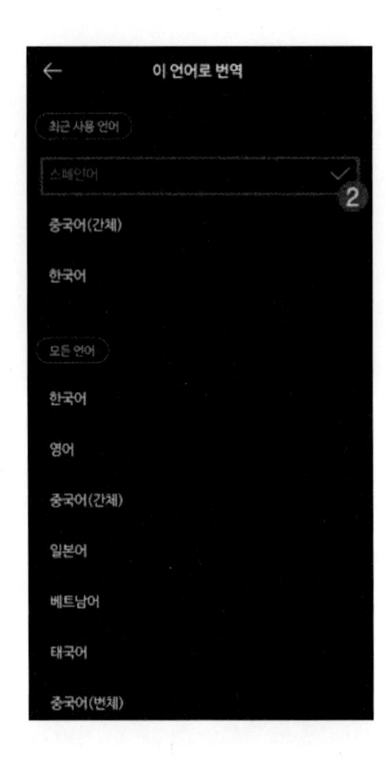

1 ① 네이버 그린닷에서 [파파고 번역]을 터치합니다. 2 ② [번역할 언어]를 선택하고 3 ③ 설정언어를 확인합니다. ④ 내용을 입력합니다. ⑤ 번역된 내용을 확인합니다. ⑥ 번역된 화면에서 [스피커 모양]을 터치하면 음성으로도 확인할 수 있습니다.

1, 2 ⑦ [사진으로 촬영] 하거나 ⑧ 번역 문서 [이미지를 스캔] 하는 방법으로도 번역할 수 있는 기능입니다. ⑨ 번역할 내용을 [문자로 입력] 하고자 할 때 터치합니다.

6 음악

1 ① 네이버 그린닷에서 [음악]을 터치합니다. 2 ② [주변에서 들리는 음악]을 분석하고 음악의 제목을 알려줍니다. 3 ③ [바로 재생]을 터치하면 내 주변에서 들렸던 음악이 곧바로 스마트폰에서 재생됩니다.

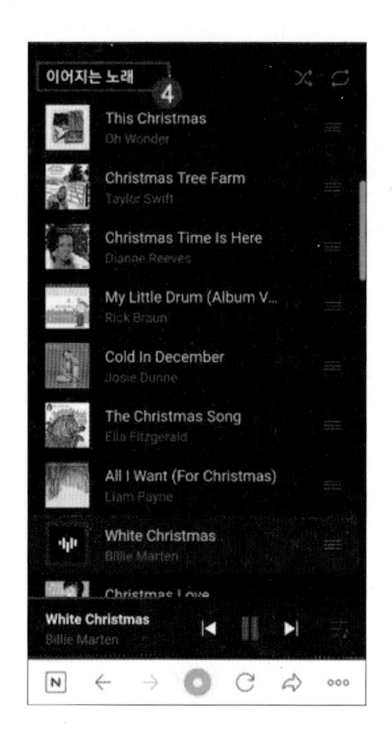

1 ④ [연관성 있는 노래] 목록들을 보여줍니다. 터치하면 음악이 재생됩니다.

7 음성검색

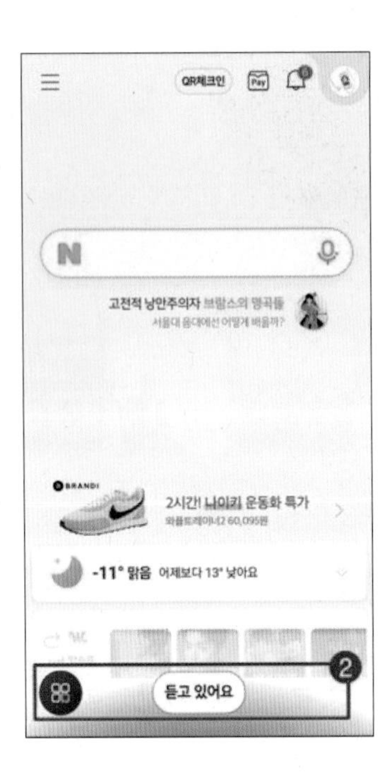

1 ① 네이버 그린닷에서 [음성검색]을 터치합니다. 2 ② 검색하고자 하는 단어를 말합니다.

3 ③ 검색창에 검색어가 나타납니다. ④ [인식이 된 검색어]에 관한 정보를 보여줍니다. 검색기능과 통합으로 활용할 수 있습니다.

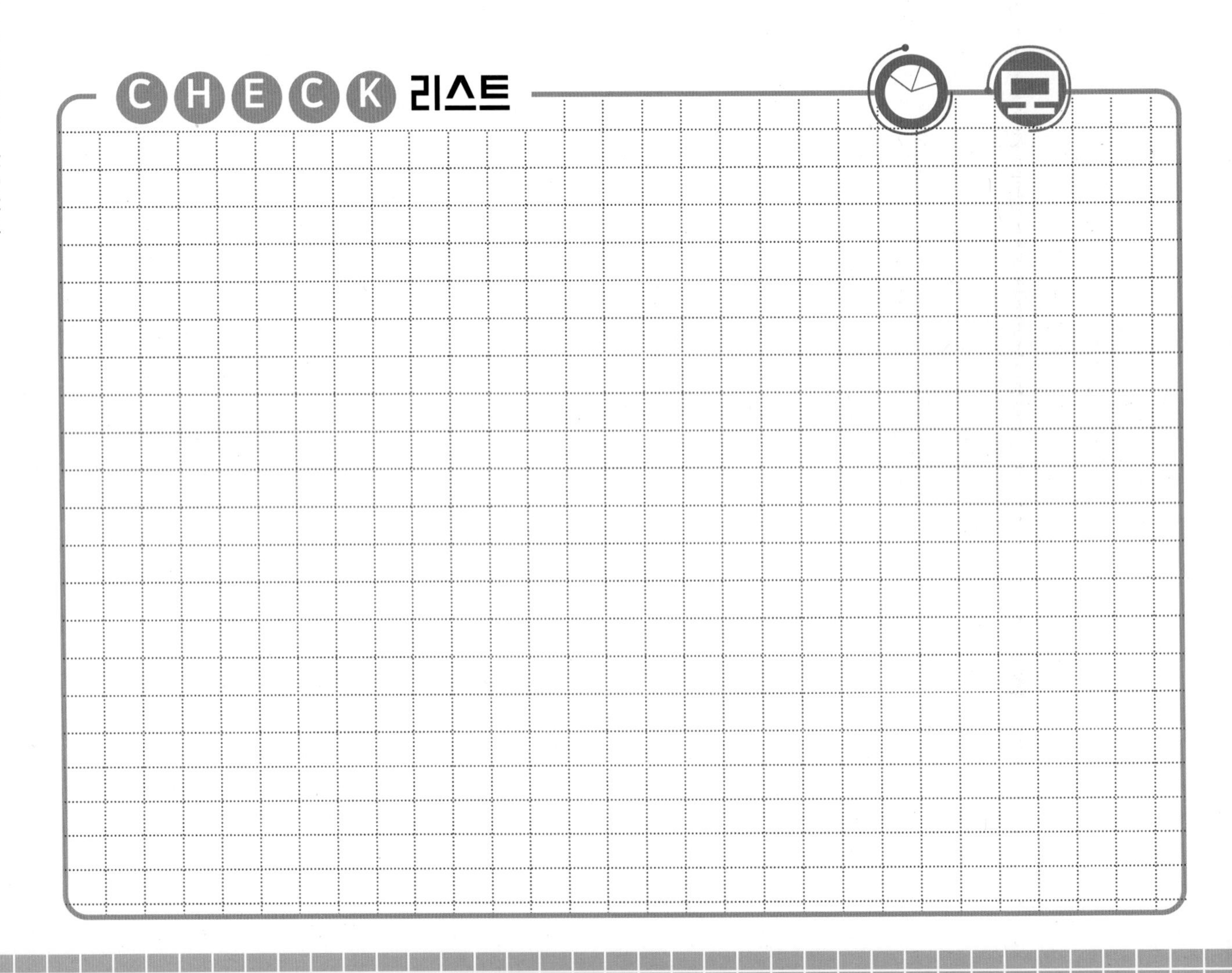

33강 키오스크

1 무인민원발급기

1 ① 구글 플레이 스토어에서 [서초구 키오스크 체험교육 어플]을 설치합니다. 2 ② 어플을 실행할 때마다 자동으로 로딩이 됩니다. 3 ③ [무인민원발급기] 아이콘을 터치합니다.

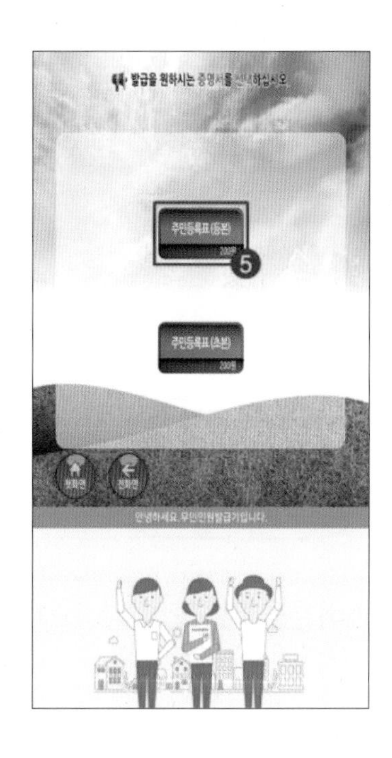

1 ④ 발급을 원하는 [증명서]를 선택합니다. 2 ⑤ 상세선택을 합니다.

3 ⑥ 정확하게 [주민등록번호]를 입력합니다.

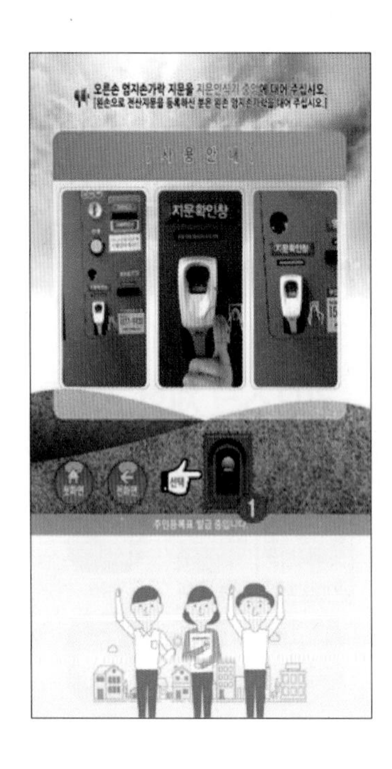

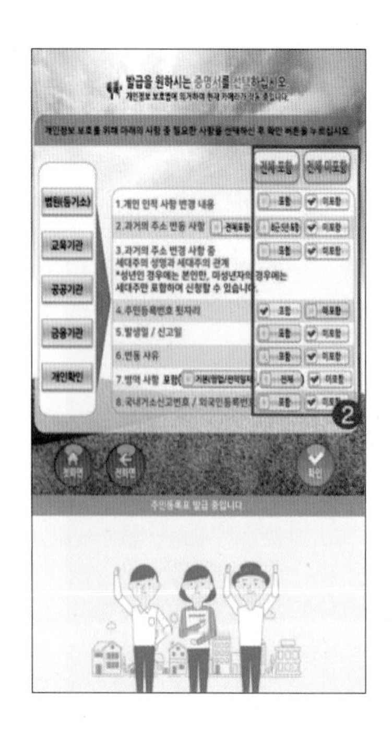

1 ① 오른쪽 엄지손가락을 [지문인식기] 에 대어줍니다. 2 ② 본인 확인이 되면 발급을 원하는 [항목]을 선택합니다. 3 ③ [수수료 면제 대상인지] 확인한 후 선택합니다.

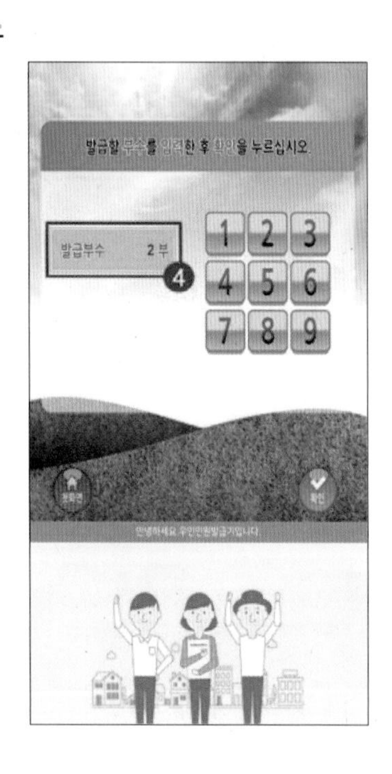

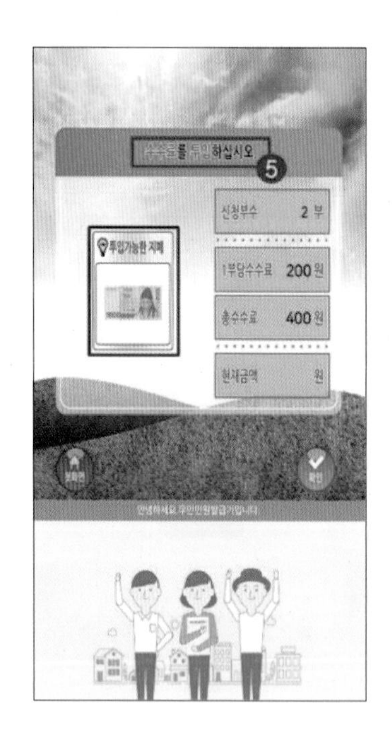

1 ④ [발급할 부수]를 입력하고 확인 버튼을 터치합니다. 2 ⑤ [수수료를 투입] 합니다.
3 ⑥ 증명서 발급이 완료되었습니다.

2 카페

1 ① 서초 키오스크 체험교육 어플에서 [카페]를 터치합니다. 2 매장에서 먹을 것인지, 포장할 것인지를 선택합니다. 3 ② [주문할 음료]를 선택합니다.

1 ③ [주문한 음료와 수량]을 확인합니다. 2 ④ [카드를 투입] 합니다. 3 ⑤ 결제가 완료되었습니다. [주문번호]를 확인하고 음료를 수령합니다.

3 패스트푸드

1 ① 서초 키오스크 체험교육 어플에서 [패스트푸드]를 터치합니다. 2 매장에서 식사할 것인지, 포장할 것인지를 선택합니다. 3 ② [주문할 버거와 음료]를 선택합니다.

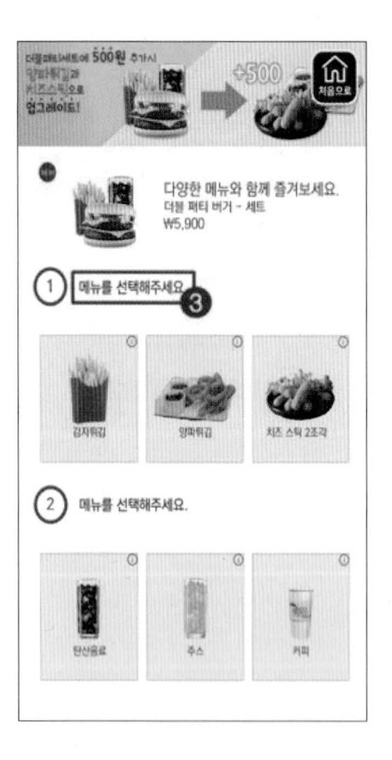

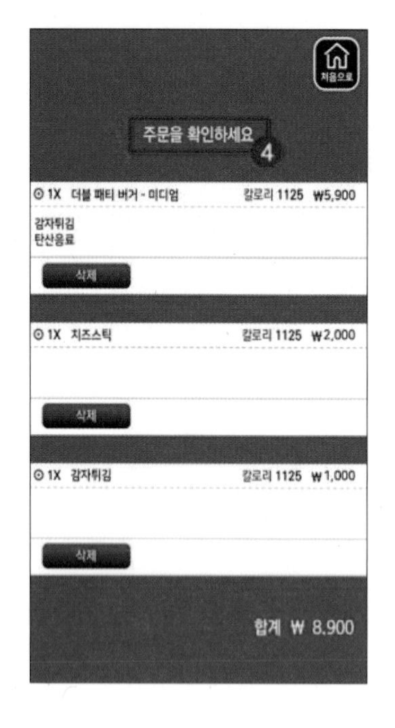

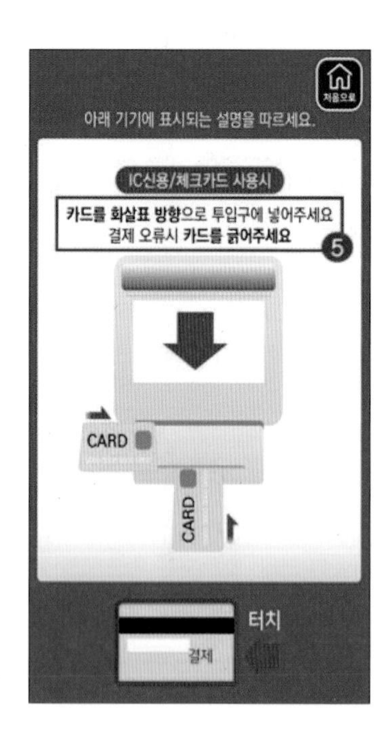

1 ③ [추가할 메뉴]를 선택합니다. 2 ④ [주문내역]을 확인합니다. 3 ⑤ 표시되는 설명을 따라 [결제할 카드]를 바르게 넣어줍니다.

1 ⑥ [결제가 완료] 되면 2 ⑦ [주문번호]가 화면에 보이고 주문 번호표가 출력됩니다.

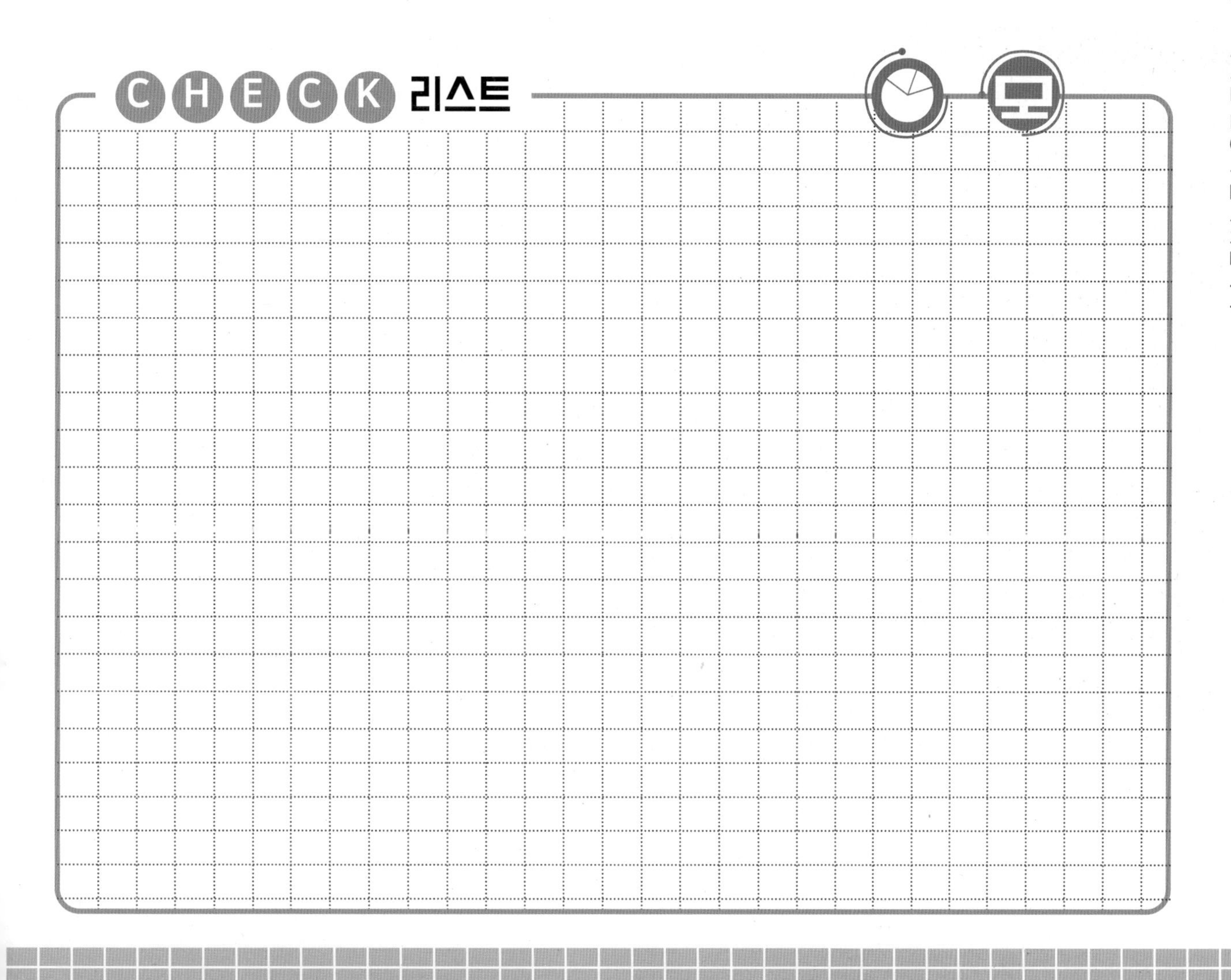

4 코레일 열차표 예매하기

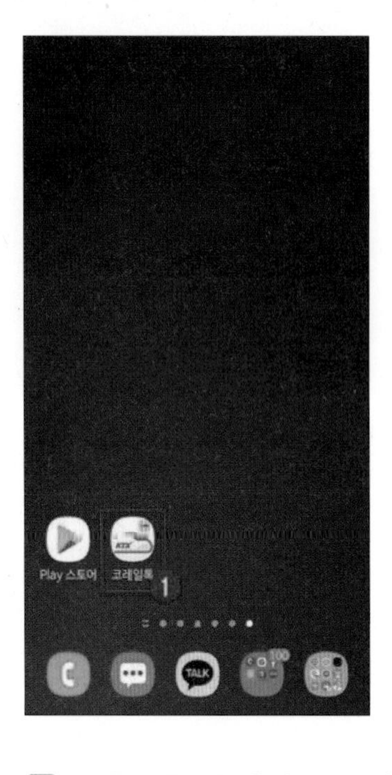

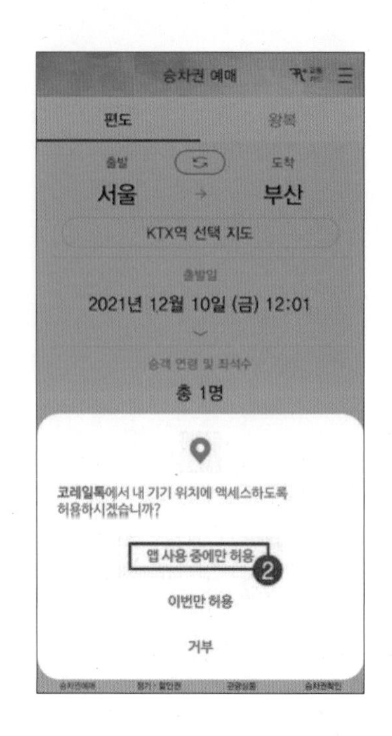

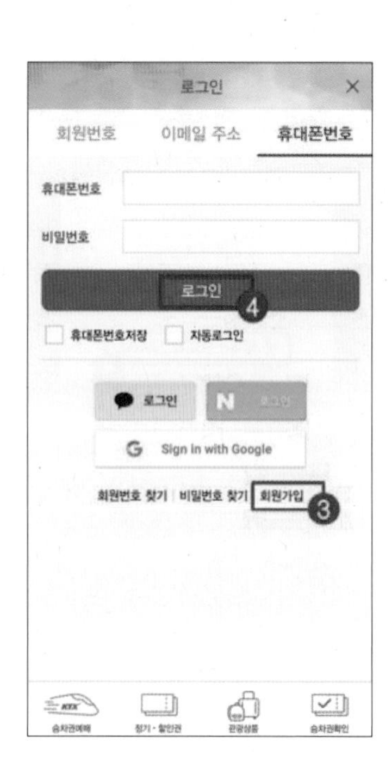

1 ① [구글 플레이 스토어]에서 [코레일 어플]을 설치합니다. 2 ② 코레일 톡에서 내 기기 위치에 액세스하도록 [앱 사용 중에만 허용]을 터치합니다. 3 ③ [회원가입]을 합니다. ④ 티켓팅을 하려면 반드시 [로그인]을 해야 합니다.

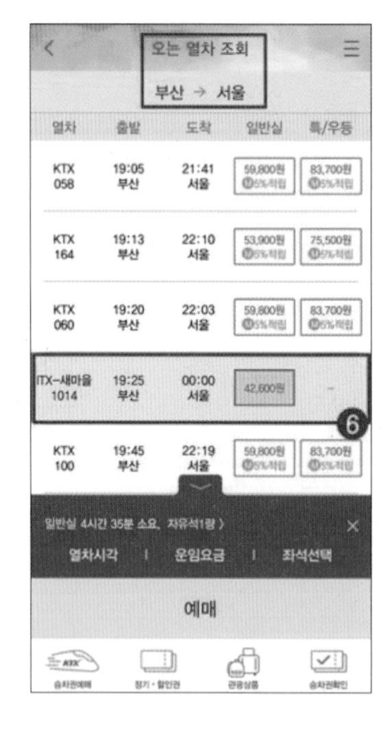

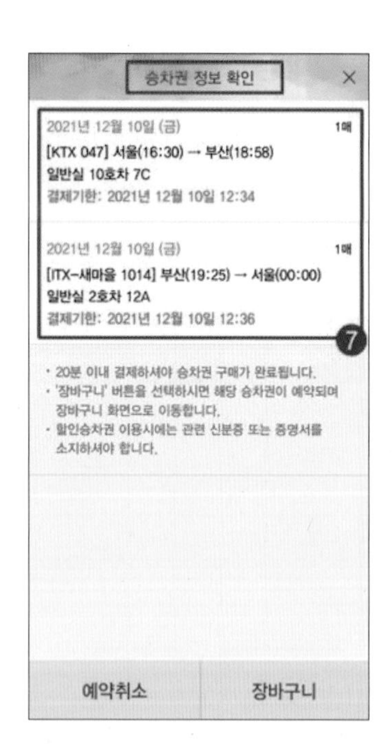

1 ⑤ 가는 열차를 조회합니다. 2 ⑥ 가는 열차를 조회하고 선택합니다. 3 ⑦ 선택한 왕복 열차표 정보를 확인합니다.

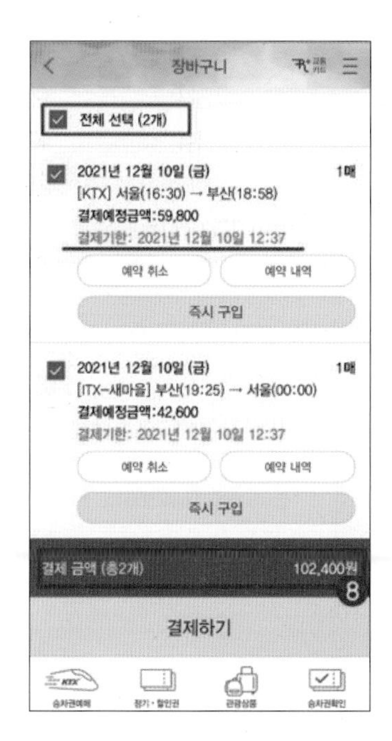

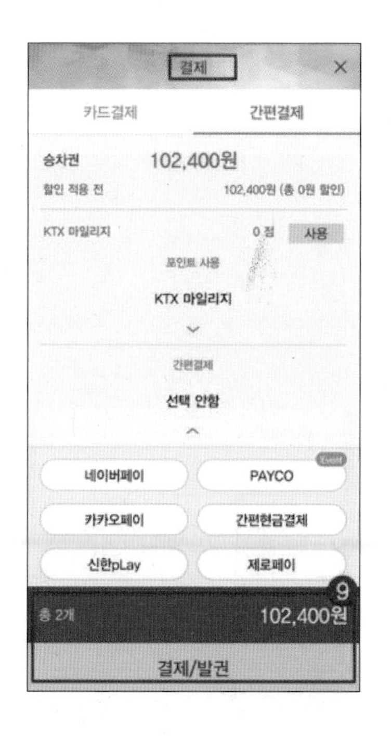

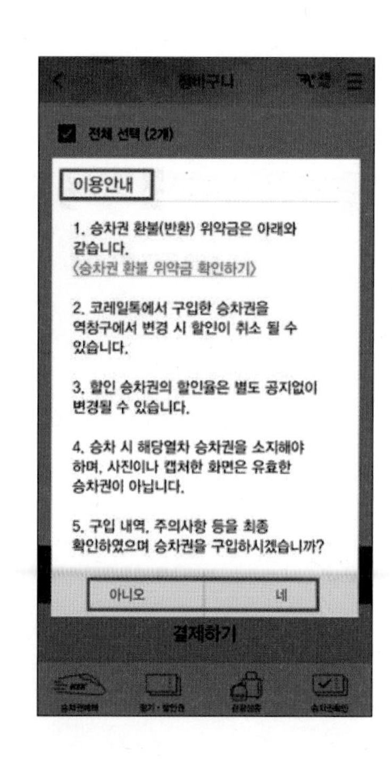

■ ⑧ 구입하고자 하는 승차권 내역과 금액을 확인 후 [결제하기]를 터치합니다.

■ ⑨ 카드 또는 페이로 간단하게 결제할 것인지 선택한 후 [결제 / 발권]을 터치합니다.

■ 승차권 구입에 관한 [이용안내] 메시지를 확인한 후 [네]를 터치합니다.

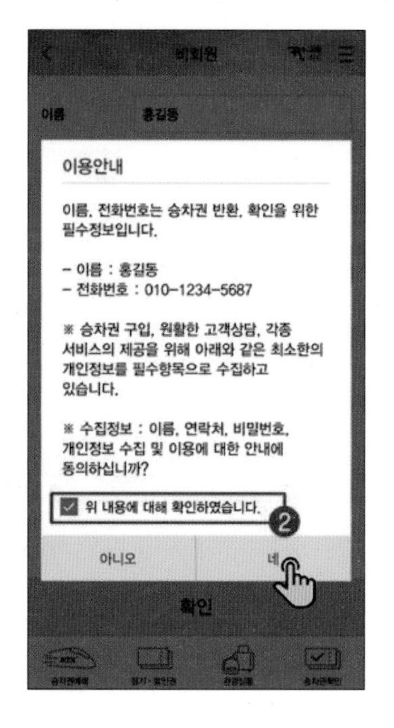

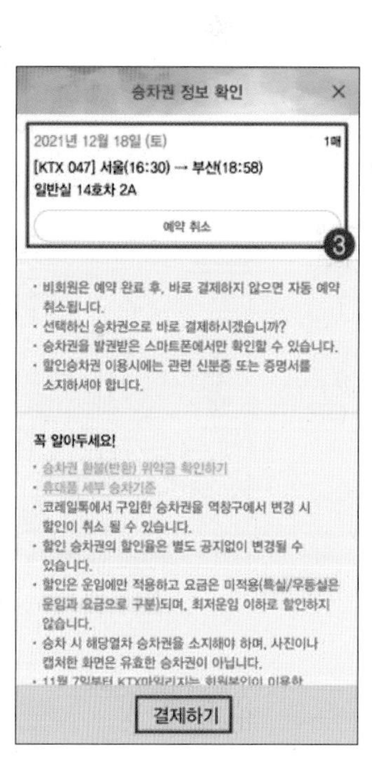

■ ① 비회원으로 예매할 경우 이름과 전화번호, 그리고 비밀번호를 꼭 입력해야 합니다.

■ ② 이용안내 메시지를 확인하고 [체크] 합니다. [네]를 터치합니다. ■ ③ 승차권 정보를 확인하고 [결제하기]를 터치합니다.

5 코레일 열차표 취소하기

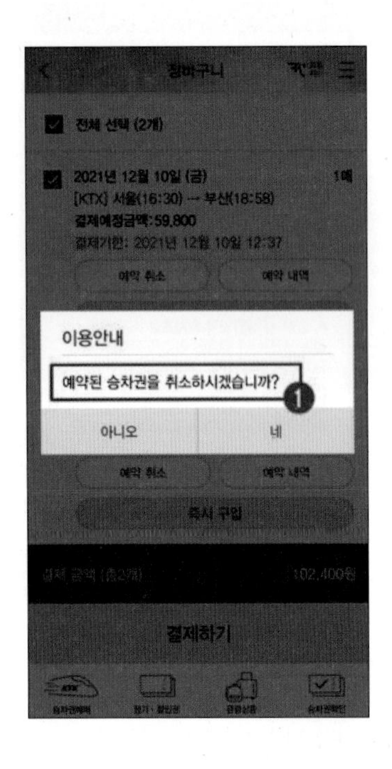

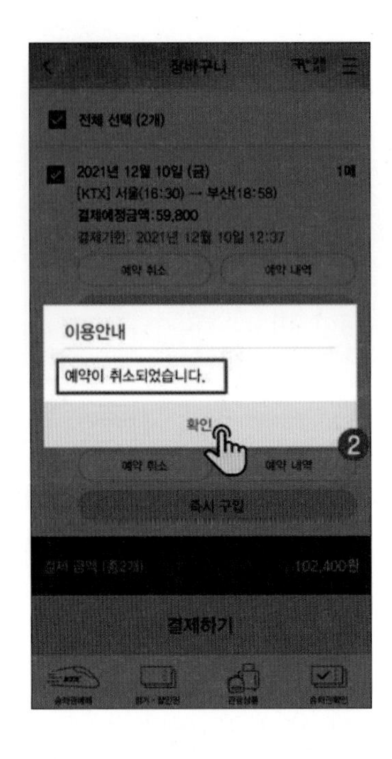

1 ① 예매한 승차권을 취소 하고자 할 때는 장바구니에서 [예약취소]를 클릭한 후 [네]를 터치합니다.

2 ② [예약이 취소되었습니다] 라는 안내 메시지가 보입니다. [확인]을 터치합니다.

3 ③ 장바구니에서 예약취소 내용을 확인합니다.

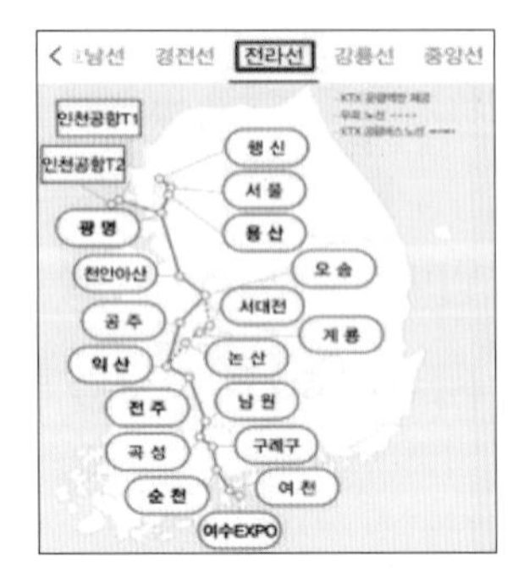

[KTX 철도 노선도]

34강 줌 가입 방법 (스마트폰에서 접속하는 방법 - 줌 미리 설치만 해놓으면 됨)

줌(ZOOM) 참가자용

❶ 스마트폰에서 참가하기

스마트폰의 경우 앱을 미리 설치해 놓으면 좋습니다.

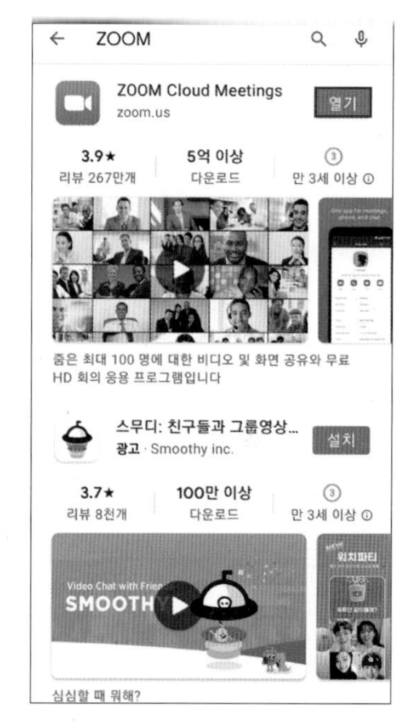

❶ [구글 Play스토어]를 터치합니다. ❷ 돋보기를 터치하여 ZOOM을 입력하고 글자 옆의 돋보기를 터치합니다. ZOOM Cloud Meetings를 확인하고 [설치]를 터치합니다. ❸ 설치가 완료된 후 [열기]를 터치합니다.

온라인 화상회의 플랫폼 ZOOM(줌)은 초대받은 링크 주소를 터치하여 입장하는 방법과,
초대받은 아이디와 비밀번호를 입력하여 입장하는 방법이 있습니다.

1 초대받은 링크주소로 입장하는 방법

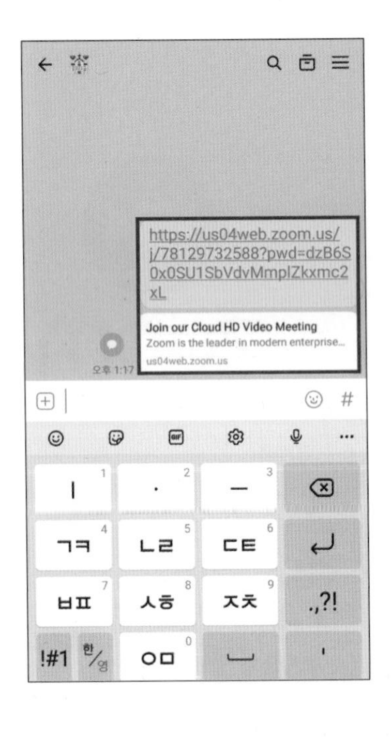

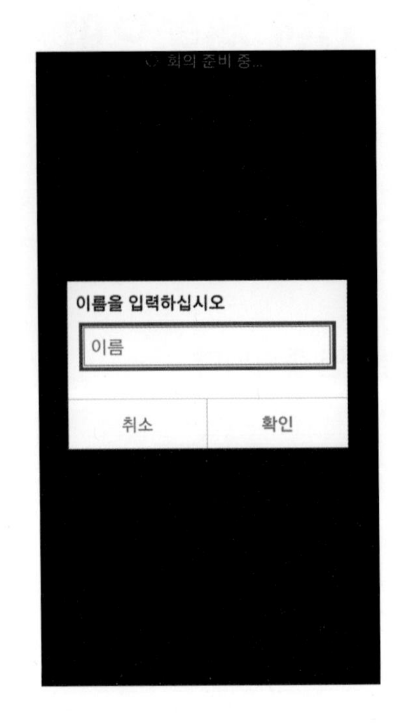

1 강사로부터 받은 줌(ZOOM) 링크 주소를 터치합니다. (문자, 카톡, 메일 등으로 받을 수 있습니다) 2 이름을 터치합니다. 3 본인 성명을 입력하고 [확인]을 누릅니다. (실명을 입력하여야 강사가 이름을 확인하고 강의실에 입장할 수 있도록 합니다)

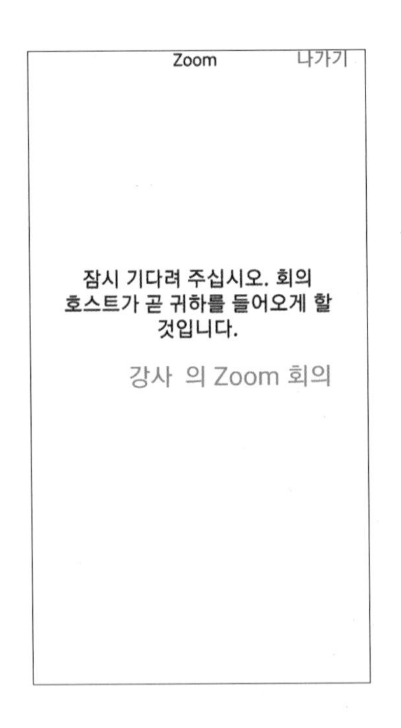

1 폰 화면에 내 얼굴이 보이면 [비디오를 사용하여 참가]를 터치합니다. 2 잠시 기다려 주십시오... 라는 창이 뜨게 됩니다. 강사가 수강생 이름을 확인하고 [수락]해 줄 때까지 기다립니다. 3 연결 중... 창이 뜹니다.

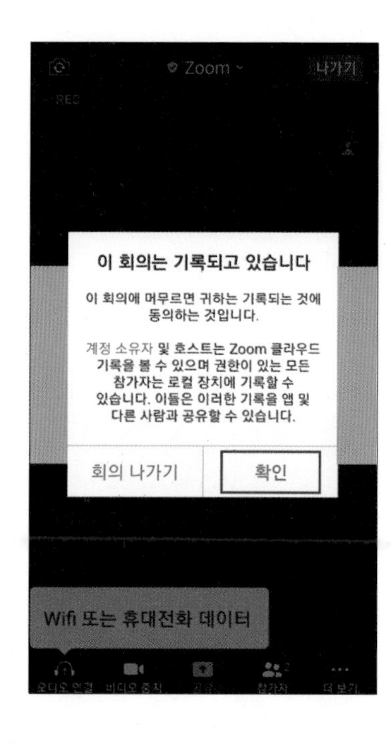

❶ [확인]을 터치합니다. ❷ [Wifi 또는 휴대전화 데이터]를 터치합니다. ❸ [ZOOM] 줌 강의실 화면에 내 얼굴이 보이면서 입장이 되었습니다. 왼쪽 하단의 [음소거]를 터치하여 음소거를 합니다.

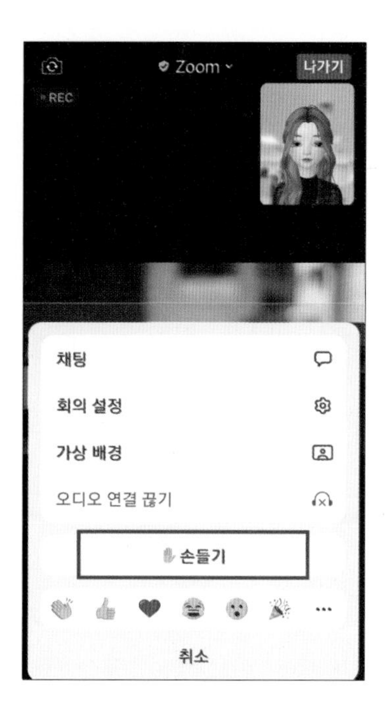

❶ ① 음소거가 된 상태이고 터치하면 다시 오디오가 연결됩니다 (강의 중에는 음소거로 합니다).

② 비디오를 켜고 끌 수 있습니다. ③ 공유, ④ 터치하면 참가자들의 이름이 보입니다.

⑤ 터치하여 채팅이나 손들기를 할 수 있습니다. ❷ 질문이 있을 경우 [손들기]를 터치합니다.

❸ 내 얼굴 옆에 노란색의 손바닥 모양이 나타납니다. 질문이 끝나면 [더보기] 터치하여 손 내리기를 터치합니다.

이름을 변경하고자 하고자 할 때는 ④번을 터치하여 이름 바꾸기를 합니다.

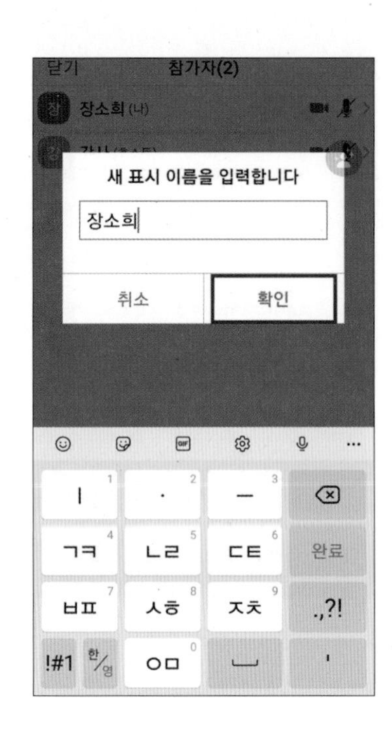

1 내 이름을 터치합니다. 2 [이름 바꾸기]를 터치합니다. 3 이름을 수정하고 [확인]을 터치합니다.

1 이름이 수정됐습니다. 취소 버튼을 눌러 강의실로 돌아갑니다.

2 초대받은 ID와 비밀번호로 입장하는 방법

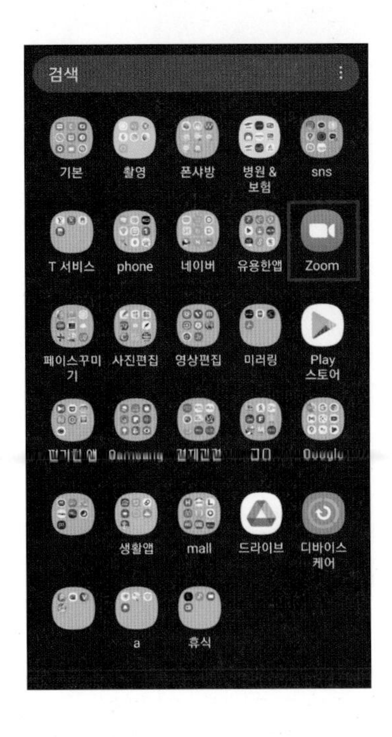

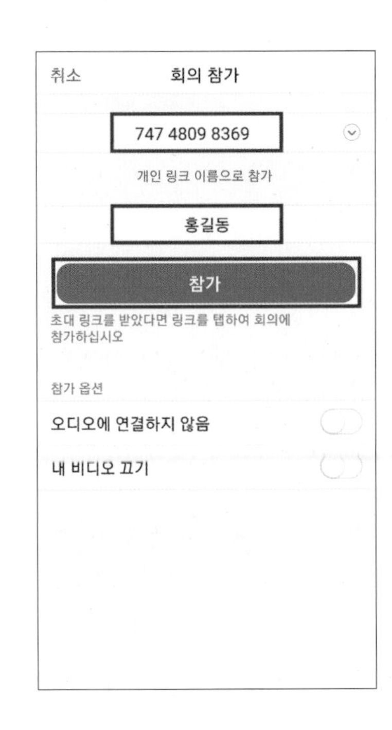

1 설치된 [ZOOM]을 터치합니다. 2 [회의 참가]를 터치합니다. 3 초대받은 아이디와 본인 이름을 입력하고 [참가]를 터치합니다. (아이디와 비밀번호는 카톡이나 문자로 받을 수 있습니다)

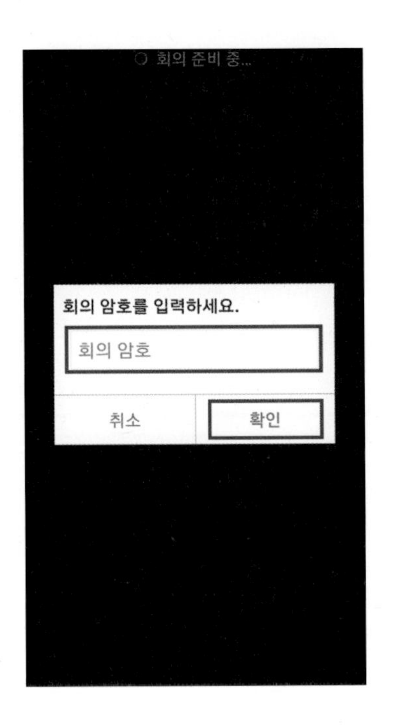

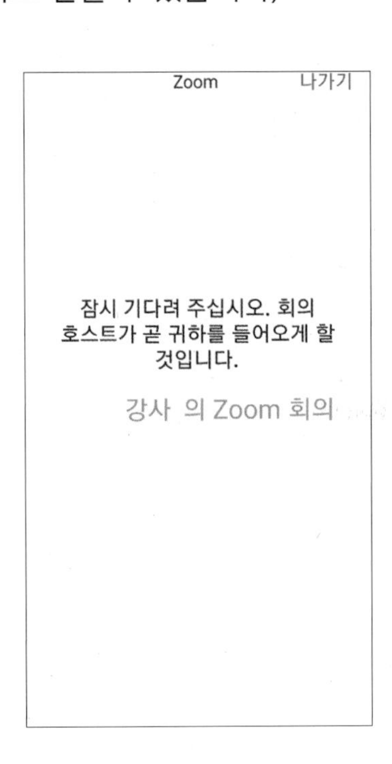

1 회의암호를 입력하고 [확인]을 터치합니다. 2 [비디오를 사용하여 참가]를 터치합니다.
3 잠시 기다려 주십시오...라는 창이 뜨게 됩니다. 강사가 수강생 이름을 확인하고 [수락]해 줄 때까지 기다립니다.

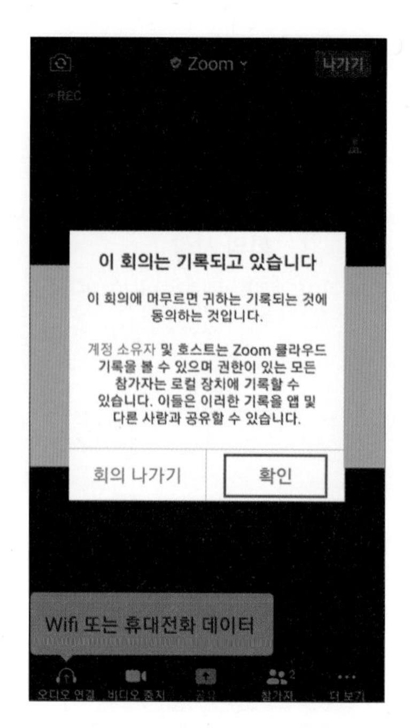

1 연결 중... 창이 뜹니다. 2 [확인]을 터치합니다. 3 [Wifi 또는 휴대전화 데이터]를 터치합니다.

1 [ZOOM] 줌 강의실 화면과 내 얼굴이 보이고 입장이 되었습니다. 왼쪽 하단의 [음소거]를 터치합니다. 2 음소거가 된 강의실 입장화면입니다. 이제 수업에 참여하면 됩니다.

❷ PC에 [ZOOM] 프로그램 설치하기

▶ 크롬 브라우저를 실행하여 검색창에 [ZOOM]을 입력하고 엔터키를 누릅니다.

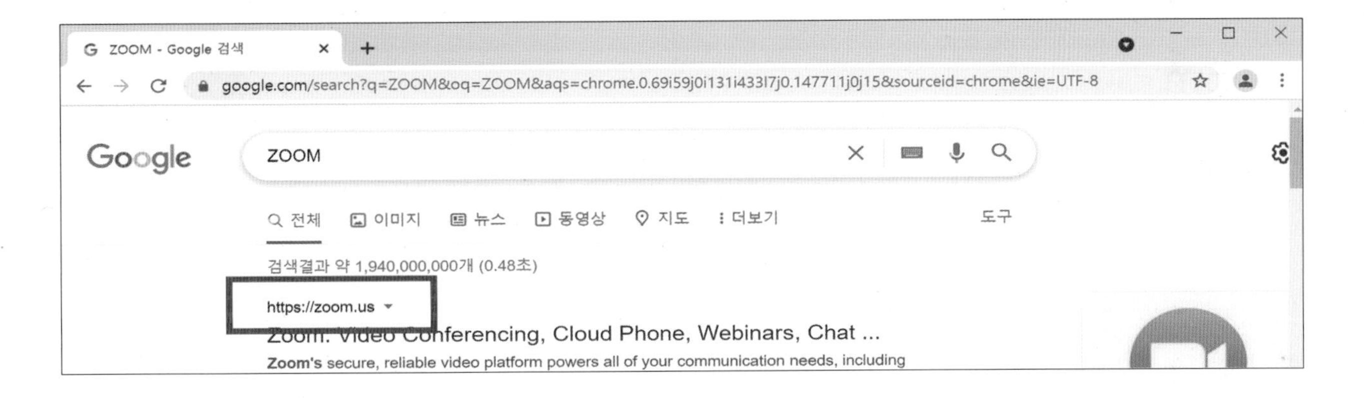

▶ 검색된 페이지에서 https://zoom.us 주소를 클릭합니다.

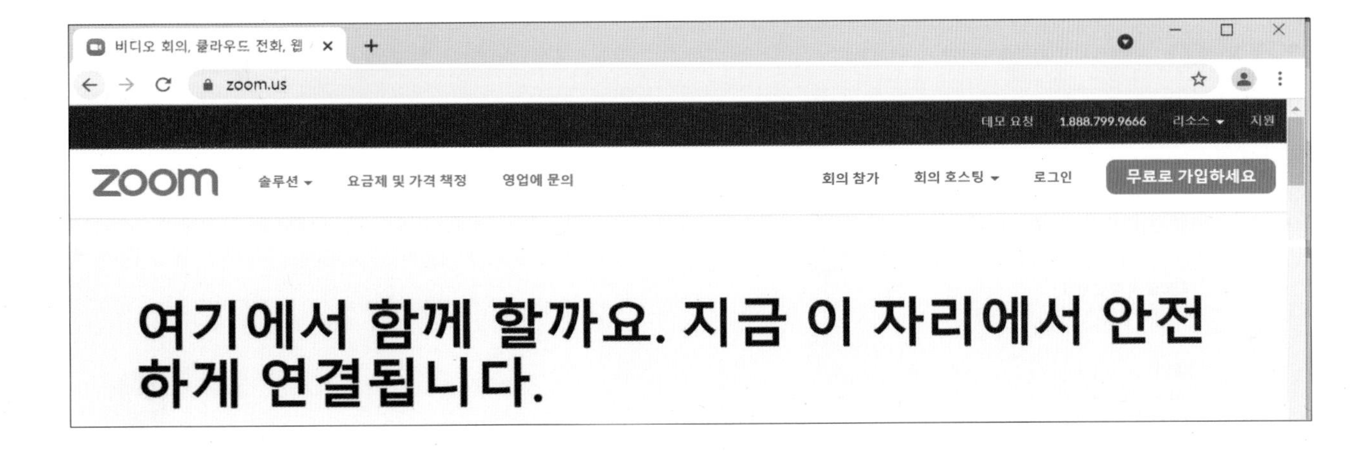

▶ [ZOOM] 줌 홈페이지가 열립니다.

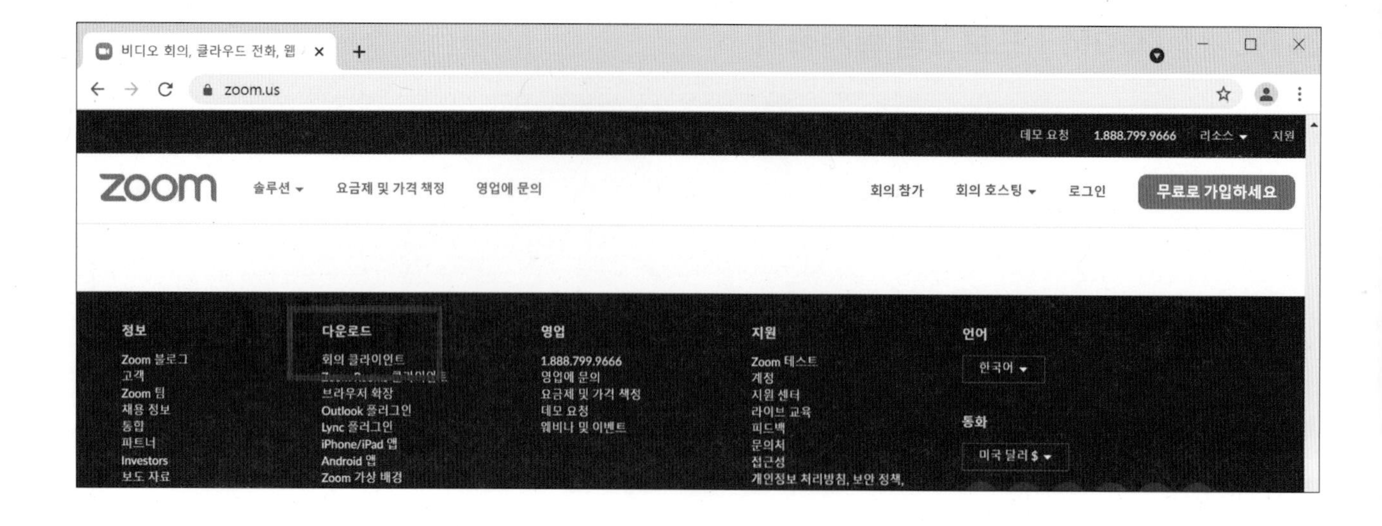

▶ 스크롤을 하단으로 내려 (또는 키보드의 End 키를 누릅니다) 다운로드 아래 [회의 클라이언트]를 클릭합니다.

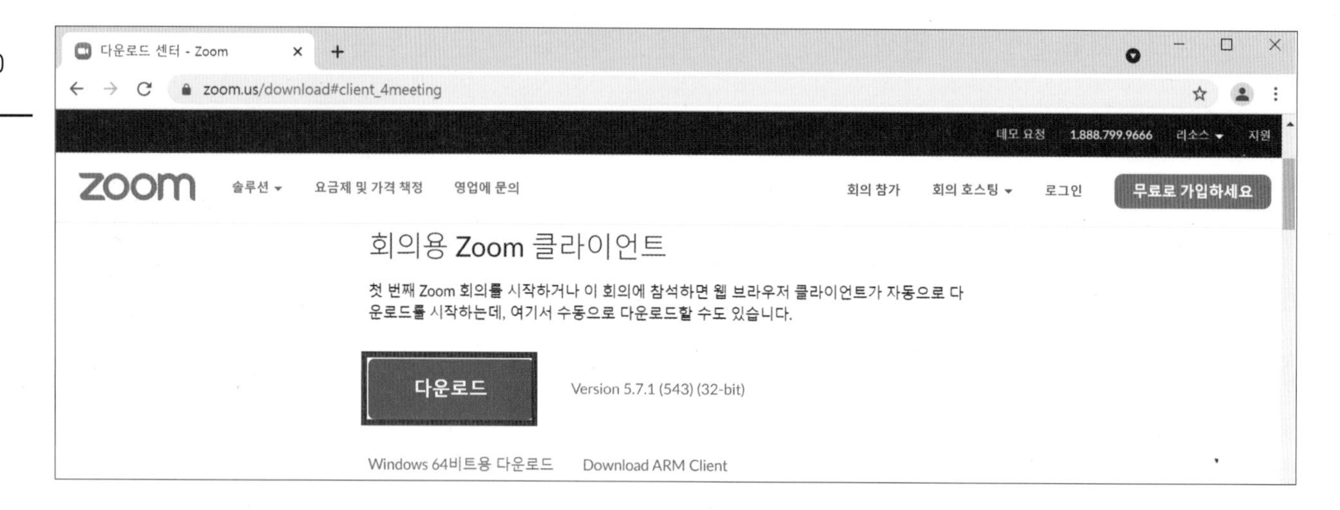

▶ [다운로드]를 클릭합니다.

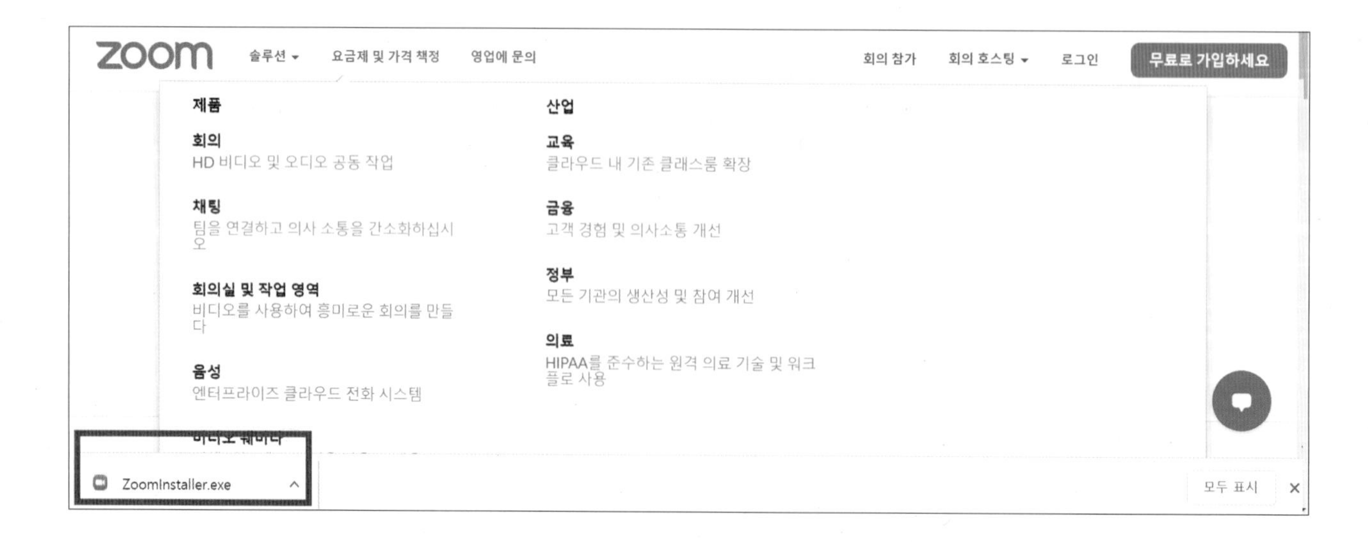

▶ 왼쪽 하단의 ZoomInstaller.exe를 클릭하여 설치합니다.

❸ PC에서 ZOOM 줌 참여하기

▶ 강사로부터 받은 초대 링크 주소를 클릭합니다. (카톡이나 이메일, 문자로 받을 수 있습니다)

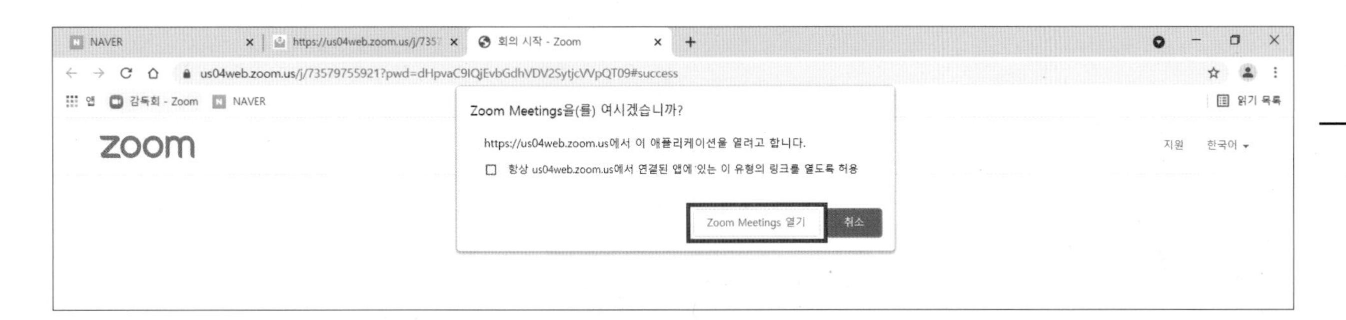

▶ [Zoom Meetings 열기]를 클릭합니다.

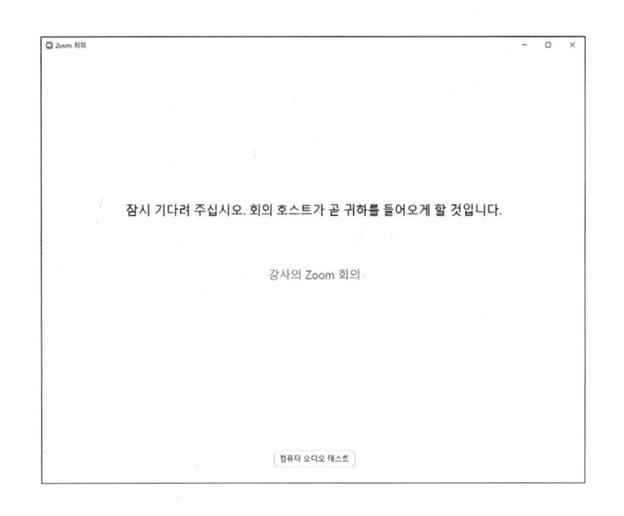

❶ [비디오를 사용하여 참가]를 클릭합니다. ❷ 잠시 기다려 주십시오…. 창이 열립니다.

강사가 수강생 이름을 확인하고 수락해 줄 때까지 기다립니다.

▶ [ZOOM] 줌 연결화면이 뜨면 [컴퓨터 오디오로 참가]를 클릭합니다.

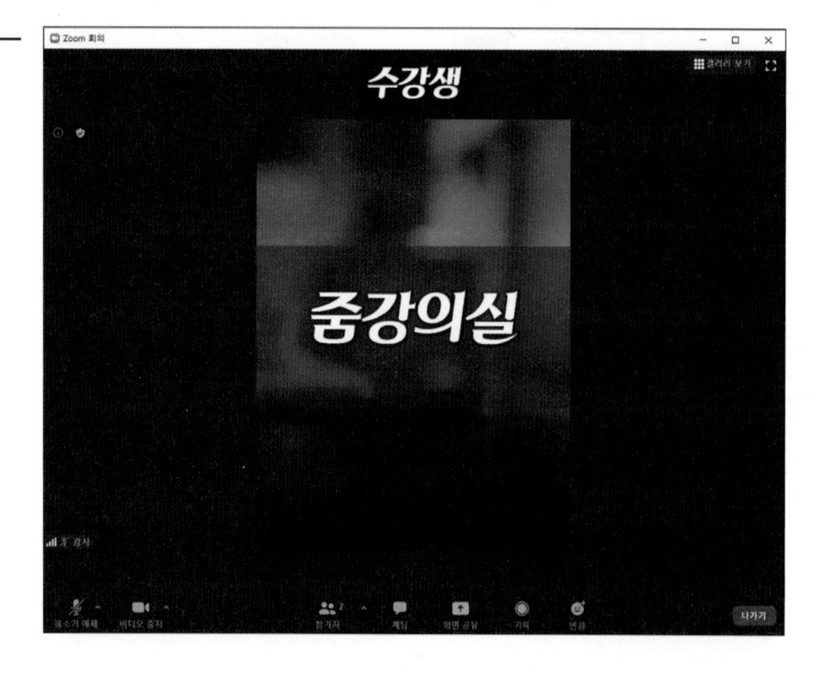

▶ [ZOOM] 줌 강의실에 입장 되면 왼쪽 하단에 [음소거]를 클릭합니다.

▶ 하단의 메뉴는 스마트폰에서 보는 화면구성과 같습니다.

음소거가 잠겨 있어도 잠시 말을 할 때에는 자판 Space bar(스페이스 바)를 누르고 말하면 편리합니다.

35강 유용한 앱 소개 - 전광판 led scroller, 노래방 종결자

1 전광판 led scroller

1 Play 스토어에서 [LED전광판]을 검색합니다. 2 좌우 화살표 버튼으로 글씨가 움직이는 방향을 설정할 수 있습니다. 3 ━ ✚ 버튼으로 글씨 크기를 조정할 수 있습니다.

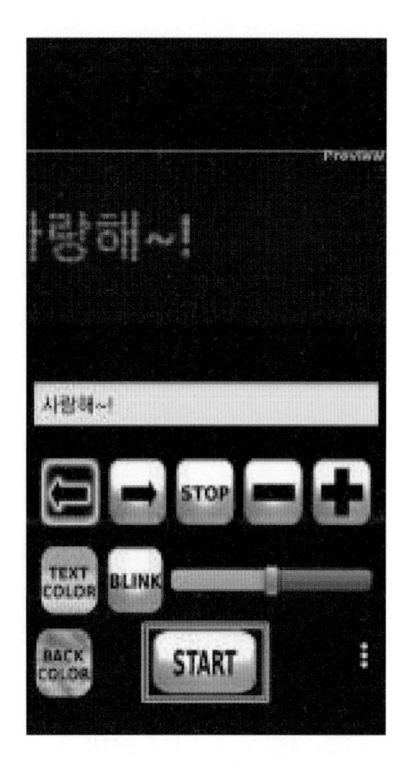

1 [TEXT COLOR] 버튼으로 글씨 색상을 조정할 수 있습니다. 2 [BACK COLOR] 버튼으로 배경 색상을 조정할 수 있습니다. 3 [START] 버튼으로 조정한 내용을 실행할 수 있습니다.

2 노래방 종결자

1 Play 스토어에서 [**노래방 종결자**]를 검색합니다. 2 어플 설치를 위해 앱 접근권한 안내를 확인합니다. 3 인기차트 등을 통해 음악 재생이 가능합니다.

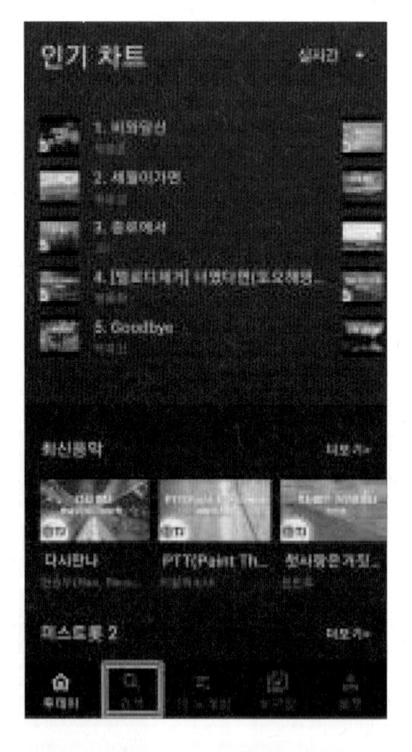

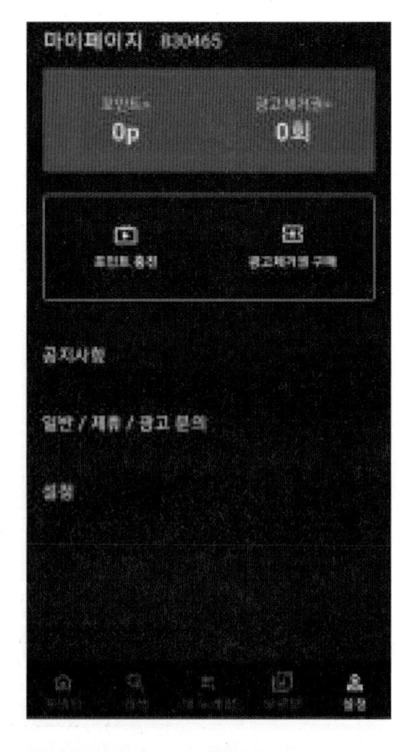

1 음악을 선택하면 녹음시작, 정지를 통해 본인의 노래를 녹음하고 공유할 수 있습니다. 2 검색 기능을 통해 원하는 음악을 찾아볼 수 있습니다. 3 마이페이지에 충전된 포인트 등을 확인할 수 있습니다.